РУССКИЙ БЕСТСЕЛЛЕР

Татьяна
ПОЛЯКОВА

Чего хочет женщина

МОСКВА
2001

УДК 882
ББК 84(2Рос-Рус)6-4
П 54

Разработка серийного оформления
художников
С. Курбатова и *А. Старикова*

Серия основана в 1994 году

П 54   **Полякова Т. В.**
        Чего хочет женщина: Повесть. — М.: Изд-во
        ЭКСМО-Пресс, 2001. — 320 с. (Серия «Русский
        бестселлер»).

ISBN 5-04-000502-4

УДК 882
ББК 84(2Рос-Рус)6-4

Мы с мужем совершали ритуал: чаепитие перед спектаклем. Муж просматривал газету, прихлебывал чай из огромной чашки и сообщал мне последние театральные новости. Рассказчик он хороший, чего не скажешь о его игре. Я пила чай из чашки поменьше, с удовольствием смотрела на его красивое лицо и жалела, что он мой муж. Услышав звонок в дверь, я досадливо поморщилась — по четвергам, а был четверг, мы предпочитали проводить день вдвоем. Муж посмотрел на меня поверх газеты.

— Кто бы это?

— Понятия не имею, — ответила я и хотела подняться, но он опередил меня.

— Сиди, дорогая, я открою, — муж у меня джентльмен.

Звонок надоедливо трещал, затем хлопнула дверь, и я услышала голос моей подруги Таньки, при звуках которого меня всегда пробирает дрожь. Болтать она начала с порога, муж довел ее под руку до кухни.

— Привет, — буркнула она и тут же добавила: — Я влюбилась.

— Чудесно, — без иронии заметил муж. — Присутствовать можно?

— Оставайся, — разрешила Танька. — Тебе полезно послушать. Что-то ты больно спокоен, друг мой, а с такой женой, как у тебя, всегда надо быть начеку.

— Приму к сведению. Так что там за новый возлюбленный?

Танька влюблялась, как правило, четырежды в год, вспышки приходились на средний месяц каждого сезона, она объясняла это особыми токами в крови.

— Ну, так что за любовник? — подала я голос. — Что он, красив, умен?

Танька подозрительно покосилась на меня.

— Что-то ты бледная сегодня.

— Это освещение.

— Может, и освещение, а по мне, ты слишком много пялишься на своего красавца мужа. Кстати, мужчине вовсе не обязательно быть красивым, а ум ему уж точно ни к чему.

— Значит, твой любовник безобразен и глуп?

Танька стала сверлить меня взглядом, силясь понять, говорю ли я серьезно или дразню ее. Наверняка лицо у меня сейчас довольно глупое, зато непроницаемое. Я пользуюсь своим лицом как ширмой. Не обнаружив ничего похожего на насмешку, Танька улыбнулась.

— Он чудо.

— Прошу прощения, леди, — встрял муж. — Пикантные подробности будут?

— Разумеется, — ответила Танька.

— Тогда я удаляюсь. Терпеть не могу, когда хвалят других.

Муж поднялся и, одарив меня самым нежным взглядом из своего арсенала (в театре он играет преимущественно любовников), скрылся в гостиной.

— Хорош, черт, — вздохнула Танька.

— Хорош, — отозвалась я. — Ну, что там с любовником?

— Он из Сан-Франциско.

— А где это?

— Не прикидывайся. В Америке.

— Серьезно? А здесь-то ему что надо?

— Контракт приехал заключать. Мост будут строить.

— Через нашу канавку, что ли?

— Ты чего сегодня вредная такая, женские недомогания?

— Да я так просто, выясняю, — мирно сказала я. — Контракт заключили?

— Нет. Думаем. Уж больно круто.

— Так ведь из Сан-Франциско люди едут.

— Вообще-то он грузин.

— Но из Сан-Франциско. Любопытно.

Танька опять стала сверлить меня взглядом.

— Не вредничай, родители у него эмигрировали. — Тут она лучезарно улыбнулась и спросила: — Доброе дело сделать хочешь?

— Хочу, если это не дорого.

— Не дорого. Пойдем в ресторан. Он меня поужинать пригласил. Но ведь как-то неудобно, верно?

— Отчего ж неудобно?

— Ну, у нас же вроде деловые отношения. А тут вдвоем.

— Так вы ж любовники.

— Да нет еще. В общем, я сказала, что приду с тобой, а он там какого-то хмыря притащит.

— Ты уверена, что получится приличней?

— Уверена. В шесть часов встречаемся.

— Не пойдет. Сегодня в театр иду.

— Что там делать-то? На мужа смотреть... Он тебе и так целыми днями глаза мозолит. Между прочим, не так уж часто я обращаюсь к тебе с просьбами.

Действительно, за последнюю неделю это случилось всего каких-нибудь пять раз.

— Не пойду.

— Вот только попробуй, — сурово сказала Танька. — Может, от этого ужина моя судьба зависит. Позвоню.

Танька отбыла, крикнув мужу:

— Валерочка, котик, пока.

Валера, стоя перед зеркалом, пытался завязать галстук. Он морщился и время от времени стонал:

— Черт, это невыносимо.

Зрелище устрашающее. Я не умею завязывать галстуки. Все, чем могу помочь в этом процессе, так это напряженно морщить лоб и повторять:

— Спокойнее, милый.

Наконец с галстуком было покончено. Муж довольно улыбнулся, я помогла ему надеть пиджак, стряхнула с плеча несуществующие пылинки.

— Ты чудо, — сказал он и поцеловал меня в нос.

Я довольно улыбнулась. Прощальный взгляд в зеркало: в профиль Валера просто бесподобен.

— Какие у тебя планы на вечер? — спросил он.

— Вообще-то я собиралась в театр, говорят, ты превзошел самого себя. Должна же я это видеть.

Лицо любимого чуть вытянулось. Чего-то я с планами намудрила. Свинство, конечно, с моей стороны, сообщать ему об этом за два часа до спектакля. Я поспешно отвернулась и начала перебирать ноты на фортепиано — надо дать возможность человеку опомниться. В мужа я верю, он молодчина. Несколько лет назад ему присвоили «заслуженного», не зря присвоили: когда я, сосчитав до шестидесяти, повернулась, на лице его сияла самая ослепительная из улыбок.

— Как это мило, что ты решила посмотреть спектакль, — бодрым голосом заявил он и поцеловал меня. Несколько минут мы о чем-то поболтали, но взгляд у него был ищущий, значит, плохи дела у человека.

Я проводила его до двери и чмокнула на прощание, потом вернулась в гостиную, прихватив из прихожей телефон. Выждав сорок минут, позвонила в театр. Меня попросили подождать, а когда муж взял трубку, я чуть не плача сказала:

— Валерочка, прости меня ради бога, я не смогу прийти. Мне самой страшно жаль... Я сожгла бордовое платье, да, забыла утюг... И у тебя еще хватает совести острить?.. Нет, в другом платье не могу, к тому же настроение безнадежно испорчено.

Я повесила трубку. Бордовое платье придется на время спрятать, через месяц Валера все равно о нем забудет. Тут как раз позвонила Танька:

— Ты мне подруга или кто?

— Подруга, подруга, сейчас подъеду.

Надо полагать, это судьба.

Танька, пританцовывая, ждала на остановке. Я открыла дверцу машины, и она плюхнулась рядом.

— Мать моя, холод какой. Лето хочу. Дай гляну, что надела.

Я распахнула шубу.

— Так и знала. Выпендрилась. Теперь на тебя пялиться будет.

— Я тебе сколько раз говорила, ищи подругу хуже себя. А ты простофиля.

— Душевная я, этого у меня не отнимешь. Чего мужу сказала?

— Сказала, что платье бордовое сожгла.

— Правда сожгла? — ахнула Танька.

— Нет.

— Слава богу, хорошее платье. А твои титьки в нем высший класс, не только мужикам, даже мне сразу чего-то хочется.

Тут Танька права: бюст у меня такой, что семь мужиков из десяти, увидев его, долго не могут захлопнуть рот, остальные трое живут с открытым ртом до конца жизни.

Танькин возлюбленный ждал нас при входе. Грузинского в нем только и было что темные волосы, а вообще-то отнести его к какой-либо национальности было весьма затруднительно. Впрочем, Сан-Франциско далеко, и кто знает, какие там грузины. Понять, чего Танька в нем нашла, было невозможно, но она во всем проявляла такую стойкую оригинальность, что я давно оставила всякие попытки что-нибудь в ней уразуметь. Второй кавалер был совершенно бесцветен, к тому же по-русски не говорил, пялился на меня, что-то лепетал и все норовил ухватить за коленку. Черт его знает, что он там себе вообразил. Через полчаса стало ясно — ужин не удался. Сначала это поняла я, а потом дошло и до Таньки; возлюбленный говорил только на две темы: контракт и мост. Танька ерзала, смотрела на него по-особенному, потом притомилась и заявила, что от нее мало что зависит. Это она врала из вредности. Через час мы уже меленько трусили к моей машине. Танька материлась, скользя на высоких каблуках.

— Нет, ты скажи, где еще такого дурака увидишь? А ты ехать не хотела. Да его за деньги надо показывать. Баба из трусов выпрыгивает, а он ей про мост лапшу вешает. Все, это последний американец в моей жизни.

— Он грузин.

— Козел он прежде всего. Ох... Ну что? Поехали к Аркашке, что ли? Напьюсь с тоски.

— К Аркашке не поеду. Позавчера был. Надоел до смерти.

— Бабки стричь не надоело. Поехали, не бросишь же ты меня, когда я в таком положении.

— В каком положении?

— В трагическом, дура.

— Поехали, — сказала я, заводя машину.

— Давай по объездной, быстрей получится.

Но едва мы выехали на объездную, как в машине что-то подозрительно хрюкнуло, и она заглохла.

— Чего это? — недовольно спросила Танька.

— Бензин кончился.

— Вечно у тебя что-нибудь кончается. Вываливай титьки на дорогу, мужиков ловить будем.

— В шубе я.

— Распахни.

Мы вышли из машины, закурили и стали ждать появления спасателей.

— Зараза, холодно-то как.

— Холодно, Танюшка, холодно.

— А я еще сдуру без трусов. Выпендрилась, прости господи, чулки и подтяжки... Для кого старалась!

— Может, ты в машину сядешь, чего задницу морозить?

— Хрен с ней, с задницей, все равно не везет.

Тут в досягаемой близости появился «москвичонок» и притормозил.

— Чего у вас, девчонки? — весело спросил дядька в лисьей шапке.

— Ничего у нас для тебя нет, дорогуша, — ответила Танька. — Кати дальше.

Дядька укатил.

— Чего ты? — спросила я. — Плеснул бы бензинчику.

— Душа у меня горит.

— Ага. Душа горит, а задница мерзнет.

Тут подкатила «бээмвэшка», первым вышел водитель, здоровенный детина с наглой рожей, за ним появился пассажир. Кожаные куртки, норковые шапки, одно слово — униформа. Первый радостно осклабился и спросил:

— Что, девочки, загораем?

— Загораем, — бойко ответила Танька, оглядывая парня с ног до головы, плохое настроение с нее как ветром сдуло. Танька от здоровых мужиков просто дурела, она их, как свиней, килограммами мерила.

— Что случилось-то?

— Бензин кончился.

— Что ж вы так, девочки? Придется помочь. Как думаешь, Дима?

Дима подошел поближе и улыбнулся. Улыбка у него — лучше не бывает.

— Поможем, конечно.

Нас разглядывали. Мне что, не жалко. Танька стояла подбоченясь, ухмыляясь и выглядела сногсшибательно. Парни засуетились, потом пошептались о чем-то возле своей машины и опять подошли к нам.

— Девочки, накладочка вышла, — сказал первый. — Бензина у самих маловато, придется до заправки ехать.

— Ясно, — усмехнулась Танька.

— Да нет, серьезно, хотите, я вам Димку в залог оставлю? — Парень сделал паузу и добавил, глядя на Таньку: — Можешь со мной поехать, если не веришь.

— Пожалуй, так надежней будет, — засмеялась она и, покачивая бедрами, пошла к «БМВ». Я села в свою «восьмерку» и открыла правую дверь.

— Садись, Дима.

Он сел, я включила свет в салоне, чтобы получше его разглядеть, ну и, само собой, чтоб и он увидел, кто с ним рядом. Дима был хорош. Лет двадцати пяти, голубые глаза, чувственные губы и улыбка героя американских боевиков. Еще одним явным достоинством Димы было полное отсутствие наглости: во взгляде, в улыбке, в манере сидеть.

— Курить можно? — спросил он.

— Можно, — улыбнулась я.

— А вы курите?

— Иногда.

Мы закурили.

— Думаю, они не скоро вернутся, — заметил Дима, но опять-таки спокойно, без нажима.

— Я тоже так думаю, — согласилась я. — Если уйдешь, я не в претензии.

— Да нет. Спешить мне некуда. Как вас зовут? Глупо разговаривать, не зная, как обратиться к человеку, — сказал он, словно извиняясь.

— Лада. Лада Юрьевна.

Он улыбнулся.

— Имя у вас интересное. Редкое.

— Да, имя у меня редкое. А тебя зовут Дима. Чем занимаешься? Ничего, что я спрашиваю?

Он пожал плечами.

— На станции техобслуживания работаю, слесарем.

— Нравится?

— Нравится. Я с детства машины люблю. Вот сломается ваш «жигуленок», приезжайте, сделаю в лучшем виде.

— Да вроде бы миловал бог, пока бегает.

— Новая машина?

— Да.

— Ваша или мужа?

— Моя.

— Я себе тоже машину собрал, полгода возился, но не зря. Хорошая машина. — Он вдруг запнулся и спросил: — Вам, наверное, смешно?

— Почему? — удивилась я.

— Ну, я ведь не слепой, кое-что вижу: шуба песцовая, своя «восьмерка», одно ваше кольцо стоит дороже моей тачки. Муж коммерсант?

— Муж у меня актер, в театре играет. Папа у меня хороший.

— Ясно. А вы чем занимаетесь?

— В музыкальной школе работаю, детишек учу.

— На пианино?

— Да.

— Руки у вас красивые.

— Руки? — улыбнулась я.

— Об остальном не говорю. Слов нет. Без шуток.

— Спасибо. Мне приятно. Слушай, ты сладкое любишь? У меня шоколад есть.

— Люблю, — улыбнулся он.

Мы разломили плитку пополам, я быстро свою съела, а Дима от своей половинки отломил чуть-чуть, остальное протянул мне, вышло это трогательно и мило.

— В армии почему-то очень сладкого хотелось, — сказал он, а я спросила, где служил? — и разговор пошел сам собой, точно мы знали друг друга давным-давно. Когда впереди показалась «БМВ», я даже ощутила что-то вроде досады.

— Вот и Вовка с вашей подругой. — По Диминому голосу было ясно, что дружок мог бы и не торопиться. Вова вышел, достал канистру из багажника и подошел к нам.

— Дима, — сказал Вовка, ухмыляясь, — тебя Лада довезет, ладно? У меня тут... в общем, доедешь, да?

— Доеду, — ответил Дима. — Лада, воронка есть?

— Есть, в багажнике. — Я подала ему ключи. «БМВ» с Вовкой и Танькой укатила, я тоже завела машину.

— Ты где живешь? — спросила я Диму. Он посмотрел мне в глаза.

— А вы очень торопитесь?

— Да нет. Хочешь, покатаемся?

— Хочу.

— Тогда за руль садись, я, когда болтаю, езжу неаккуратно.

Машину Дима водил мастерски, вообще смотреть на него было одно удовольствие. Мы катались по вечернему городу и болтали, пока я не сказала, смеясь:

— Дима, у нас с тобой опять бензин кончится.

— Понял, — ответил он.

Мы поставили машину в гараж и домой поехали на такси, возле моего подъезда простились, Дима уехал, а я поднялась к себе, переоделась, поставила чайник на плиту и стала ждать Валеру. Мысли мои были приятны, и настроение отличное, выходило, что Танька в этот вечер меня вытащила из дома не зря.

Утром мы поднялись поздно — по пятницам я работаю во вторую смену, у мужа репетиция в двенадцать, можно было отоспаться. Я готовила завтрак, скучала и прикидывала, чего бы мне захотеть. Помучившись немного, я захотела новую машину. Следовало подготовить мужа.

— Валерочка, — сказала я, — у меня с машиной что-то. Не заводится.

— Да? — Муж в автомобилях не разбирается, у него своя «девятка», в ней вечно что-то ломается, муж злится и о машинах говорит неохотно. — Наверное, зажигание, надо посмотреть.

Тут в дверь позвонили.

— Что за черт, — сказал Валера. — Ни дня без гостей, — и пошел открывать. Однако голос его мгновенно переменился. — Аркадий Викторович, — радостно запел он. — Проходи. Куда пропал? Только вчера тебя вспоминали.

— Ох, Валера, работа в гроб вгоняет, связался с этой коммерцией, век бы ее не видать. Как вы?

— Нормально, проходи. Лада на кухне. Лада, посмотри, кто пришел.

В кухню бочком и слегка пританцовывая вкатился Аркаша, маленький толстый старый еврей, мой любовник.

— Здравствуй, Ладушка, — пропел он и к ручке приложился.

— Аркадий Викторович, что невеселый?

— Заботы одолели. Чайком не напоите?

— Конечно. — Муж поставил чайничек. — Может, коньячку? Хороший, армянский.

— Ох, нет, спасибо. Бросать надо коньячок. Сердце прихватывает.

— Рано тебе на здоровье жаловаться.

— Какое там, Валера, — Аркаша махнул рукой. — Стар, стар стал, пора на покой, сына бы на ноги поставить.

Аркаша пил чай и лучисто улыбался. Физиономия у него круглая, как луна, и чрезвычайно добродушная. По внешнему виду Аркаши никто бы не догадался, что это редкий подлец, жулик и бандит. Они с Валерой пили чай, а я за ними ухаживала.

— Лада на машину жалуется, — сказал Валера. — Что-то у нее там с зажиганием.

Аркаша кивнул:

— Посмотрим, пришлю кого-нибудь. А твоя как?

— Не знаю, что с ней делать... Продать надо к чертовой матери.

— Давай ее сыну покажем, он у меня такой мастер, сам удивляюсь. Талант у парня. Продать всегда успеешь.

Через час Валера засобирался на репетицию, ласково простился с Аркашей и отбыл. Я его проводила и вернулась на кухню.

— Ладушка, — запел Аркаша. — Красавица ты моя, соскучился. — Он обнял меня за талию и прижался головой к моему животу.

— У меня машина сломалась, — сказала я.

— Слышал. Сделаем.

— Надоело мне на этом старье ездить.

Аркаша подпрыгнул.

— Ладуль, какое старье, побойся бога, машине полтора года.

— Я и говорю, старье.

Аркаша заерзал.

— Старье... Я на своей три года езжу.

— Вот и езди, а мне надоело.

— Да ты с ума сошла. — Он руки расцепил и нахмурился. — Чего тебе еще?

— «Волгу».

Аркаша, как я и предполагала, схватился за сердце.

— Спятила баба. «Волгу». Совесть надо иметь. Я на тебя трачу больше, чем на всю свою семью.

— Я ж тебя не граблю, продай мою «восьмерку», деньги забери.

— Что их забирать, все равно выцыганишь. Ух, глаза бесстыжие.

— Жадничаешь, черт плешивый, — сказала я и хлопнула тарелку об пол. — Дожадничаешься. Брошу к чертовой матери.

— Как же, бросишь, — ядовито сказал Аркаша. — А деньги? Ты за деньги удавишься.

— Найду другую дойную корову, вон Лома, например.

— Лома? — Аркаша опять подпрыгнул. — Да Лом сам смотрит, как бы с баб содрать.

— Ничего, я его так поверну, молиться на мою задницу будет, не говоря уж о прочих интересных местах.

Аркаша стал менять окраску с обычного бледно-фиолетового до багрового, потом вдруг позеленел.

— Ну до чего ж подлая баба, мало я на тебя трачу, Лом ей понадобился. А этот, сволочуга, все Ладушка да Ладушка, пущу в расход подлеца.

— Чего городишь-то? Кто с твоими бандюгами управляться будет? Они тебя в пять секунд почикают. Пропадешь без Лома.

— Ох, Ладка, узнаю чего, я тебя... — Аркаша запнулся, прикидывая, что он мне такое сделает, но, так и не придумав ничего особенного, махнул рукой. — Ты перед Ломом титьками своими не тряси, у него и без того рожа блудливая, так по тебе глазищами и шарит. Ну что тебе «Волга», корыто, прости господи, уж покупать, так импортную.

— Я патриотка, родную промышленность поддержать хочу.

— Шлюха ты, бессовестная баба и шлюха.

— А ты пенек старый, — заявила я и стала разливать чай.

Аркаша посидел, посопел, вернул себе обычный цвет и, почесав грудь, сказал:

— Ладушка, чеченцы вчера опять были, слышишь?

— Гони в шею. Говорили уже.

— Деньги-то какие сулят.

— Они посулят, а потом брюхо-то жирное тебе вспорют. Свяжешься с нехристями — брошу. Ей-богу, брошу и на деньги твои наплюю.

Я подумала и на всякий случай вторую тарелку грохнула. Тарелок было не жалко.

— Ты подожди, — опять запел Аркаша. — Дело-то выгодное, подумай, мы ведь в сторонке будем. А деньги-то какие.

— Аркашка, — грозно сказала я, — отвяжись. Нутром чую, свяжешься с чечней, каюк тебе.

Он вздохнул. В мое нутро Аркаша верил свято. Лет пять назад подъехали к нему с большим делом, мне же предложение пришлось не по душе, ругались мы дня два, Аркаша уступил, потом дурью орал, злился, что из-за меня миллионов лишился. Но вскоре ребятки отправились восемь лет строгача отсиживать, а толстяк тихой сапой их дело к рукам прибрал, просил прощения, руки целовал и с тех пор больше советов моих ослушаться не смел. Аркаша еще раз выразительно вздохнул.

— Ладно, нет так нет. А с долгом что делать будем, неужто отдавать?

— Еще чего. Перебьются.

— Грозились.

— Ты на них Лома спусти. Нечего ему задницу просиживать. Обленился, кобель здоровый, только и знает девкам подолы задирать. За что ты ему деньги платишь?

— И то верно. Пусть поработает.

Аркаша успокоился и опять ко мне полез:

— Ладушка, красавица ты моя.

Я чмокнула его в лысину. Аркаша обиделся.

— Ну что ты за баба такая, ласкового слова от тебя не дождешься. Все только дай да дай. Пожалела бы ты меня.

— Чего тебя жалеть?

Он вздохнул:

— Старею. Давление у меня. Сердце.

— Не прибедняйся. Ты меня переживешь. Давление. Лопать меньше надо.

— Куда меньше. Не пью совсем. Коньячку только.

— Водку пей. Поправишься.

— Дай я тебя хоть поглажу.

— Погладь.

— Ладуль, приедешь завтра?

— Приеду. Про машину не забудь.

— Не забуду. Какой у нас праздник?

— Двадцать третье февраля.

— Вот, будет тебе подарок к Дню Красной Армии.

Вечером я сидела в учительской, подбирала репертуар любимым чадам. Во всей школе оставалось человек десять, вахтерша дремала за стойкой, было тихо, и уходить не хотелось. Тут черт принес Таньку, она вплыла в учительскую, выдала улыбку и полезла целоваться.

— Ну что, как там Вовка? — спросила я.

Танька потянулась, демонстрируя свои прелести, и сказала с усмешкой:

— Заездил, черт. Не мужик, а конфетка.

Только взять с него нечего, за душой ни гроша, «бээмвэшка» паршивая да пара сотен. Что за напасть такая — как мужик путный, так обязательно нищий, как богатый, так либо подлец, либо импотент. Одно слово, не везет.

— Простились навеки?

— Как же. Он как увидел мою квартирку, доверху упакованную, челюсть руками придерживал да еще коленкой помогал.

— Ты завязывай мужиков домой таскать. Смотри, ограбят.

Танька задумалась.

— Так вроде парень неплохой. Хотя черт его знает. Надо Лому сказать, пусть хоть сигнализацию, что ль, какую на двери поставит, поработает.

— Ага. У Лома только одна сигнализация работает, в штанах.

— Это точно. Мента надо в любовники. Пусть квартиру сторожит.

— Заведи.

— Попозже. С Вовкой разобраться надо.

— Зачем он тебе? Сама говоришь: нищета.

— А я за него замуж выйду.

Я хмыкнула, а Танька обиделась.

— А что? Он и моложе-то меня лет на пять всего. Возьму к себе на работу, человеком сделаю, знаешь как заживем. — Танька задумалась, потом сказала: — В люди выведешь, обуешь, оденешь, а он, подлец, по бабам шляться начнет.

— Так ведь еще не начал.

— Ой, Ладка, все мужики подлецы. А твой как?

— Покатались, до дома проводил.

— И не трахнулись?

— Нет, конечно.

— Че делается. Совсем баба дура.

— Я тебе уже говорила, у порядочной женщины может быть один муж и один любовник. Два — перебор.

— А если мужа нет, сколько любовников может быть?

— Сколько угодно.

— Слава тебе господи, в порядочных хожу. — Танька насмешливо посмотрела на меня и спросила: — Не надоел тебе твой Аркашка?

— Надоел. Бросить бы его, заразу, да где еще так пристроишься? Не к Лому же на поклон. Давно жмется, и на роже написано: «Не потрахаться ли нам, дорогуша?»

— Не вздумай с Ломом вязаться. Подлюга. Аркашка надежнее.

— Вот и я так думаю.

— Засиделась ты возле него. Погулять надо. Пригрей Димку. Мальчик-то какой, а улыбочка!

Я махнула рукой.

— Машину хочу — «Волгу». Аркаша обещал.

— Ой, Ладка, — Танька головой покачала. — До чего ж ты на деньги жаднющая, прямо патология какая-то. Все тебе мало. Деньжищ у тебя — на всю жизнь хватит, а ты... сидишь возле Аркашки, на хрена он тебе сдался, старый черт? Плюнь на него, заведи мужика путного, бабьего веку осталось совсем ничего.

— Отстань, — сказала я. — У тебя мужики, у меня деньги.

Танька вдруг заерзала.

— Ты меня домой не отвезешь? Что-то беспокойство у меня. Правда не ограбили бы. — Как Танька по мужикам ни сохла, но барахло любила еще больше.

— Отвезу, — засмеялась я.

В машине Танька опять начала приставать ко мне:

— Мужа ты своего не любишь, Аркашку едва терпишь... Вышла бы замуж за хорошего человека, ребенка бы родила.

— Отстань, Танька, сама рожай. Ребенка мне еще не хватало...

— Ага, я уже родила.

Бывший Танькин муж был алкоголик, у их ребенка была болезнь Дауна, Таньку он даже не узнавал, но она его жалела и регулярно ездила к нему. Возле дома она тяжко вздохнула:

— Прямо боязно идти. Умеешь ты настроение испортить.

— Да ладно, ступай, цело твое барахло.

Я поехала домой, размышляя над Танькиными словами. И мужа я давно не любила, и Аркашка мне надоел, и денег я желала до судорог. Мой роман с деньгами начался давно и поначалу неудачно. Родители жили скромно, а я всегда мечтала о респектабельности, но по молодости дала маху: вышла замуж за актера. И ладно бы просто вышла замуж, а то ведь влюбилась, как кошка.

Было мне девятнадцать, училась я в пединституте, а Валерка, закончив театральное, прибыл в наш город вместе со своим курсом и дипломным спектаклем «Милый друг». Он играл Жоржа Дюруа и был так хорош, красив и сокрушительно нахален, что дух захватывало. После спектакля я потащилась к нему с цветами и таскалась до тех пор, пока он не созрел до понимания простой истины: лучше меня никого на свете нет. Через месяц он признался мне в любви, через три мы поженились. Жили у родителей, спали на кухне, квартира однокомнатная. Зарплата у него была копеечная, и плюс моя стипендия. А тут квартиру предложили. Заняли денег. Бились как рыба об лед. Валерка по деревенским клубам катался, я полы в поликлинике по вечерам намывала, и все равно ни на что не хватало. Получили квартиру, еще беда — мебель. Опять долги. Я чулки штопала и ревела, учеников набрала столько, что от музыки, даже хорошей, тошнило. А тут беременность. Валерка за голову схватился.

— Лада, куда нам ребенок? Как мы на мою зарплату проживем?

Решили подождать. Я слезами обливалась, а в больницу все-таки пошла. Но доконало меня не это. Как-то, возвращаясь с работы, влетела в троллейбус, денег не было ни копейки, в кошельке один ключ, но устала я страшно, спину разламывало, и решила рискнуть. А тут, как на грех, контролер, и народу всего человек десять. Вся кровь мне в лицо хлынула, я стояла ни жива ни мертва, а рядом парень, молодой, не старше меня, одет с иголочки, на пальце печатка грамм на пятнадцать, и губы насмешливо кривятся. Посмотрел на меня, купил билет и мне протянул. Я взяла. На остановке вылетела из троллейбуса, он за мной, крикнул:

— Эй, подожди, — и подошел вразвалочку. А я точно свихнулась.

— Сволочь! — заорала. — Сволочь.

И бегом домой, слезы по щекам размазываю, трясусь и сама себя ненавижу. Ни о чем, кроме денег, я уже думать не могла. А их не было.

Валерка не выдержал первым. Ходил измученный, нервный, злой, а потом как-то враз переменился, ласковый стал, все Ладушка да Ладушка. Я гадала, в чем дело, пока мне Танька глаза не открыла:

— Баба у него, торгашка. Лет на сто старше. Он на ее тачке разъезжает по доверенности, а она его после спектакля встречает и в ресторан. Хорошо устроился.

Я пошла взглянуть на торгашку. Выкатилась баба лет сорока пяти, толстая, некрасивая, лицо отечное, мешки под глазами, и смолоду, видно, красотой не блистала, а теперь и вовсе ей природа ничего от щедрот своих не оставила. Но пальто на ней было класс и сапоги тоже, и топала она в тех сапогах к собственным «Жигулям». Я опять ревела, не от обиды даже, а от жалости к Валерке, каково ему с такой жабой спать? Деньги... Ох как денег хотелось! Прикидывала, где бы заработать, и так и эдак, ничего не выходило. На мужиков не смотрела, воспитание не то, замуж девицей выходила, и Валерке изменять было стыдно, хоть он этого и заслуживал. Отметили мой день рождения, ухнув всю зарплату, а на следующий день Танька пришла.

— Муж где?

— В театре. Премьера сегодня.

— А ты чего не пошла?

— Не в чем. Одно платье приличное, я в нем три года хожу. Люди думают — униформа, за билетершу принимают.

— Так, — сказала Танька. — Хватит тебе пялиться на красивую рожу своего мужа. Завязывай. Пора зарабатывать деньги.

— В проститутки не пойду. Брезгливая я.

— Не ходи. Пойдешь в содержанки.

— Чего ты городишь?

Танька закурила и сказала очень серьезно:

— Ладка, мужик у меня есть... Нам такие деньги никогда и не снились. Я у него долго не продержусь, характер не тот, не умею я мужиками вертеть, а ты баба железная, ты его до нитки оберешь. А я помогу. Ну что?

Мы посмотрели друг на друга, и я сказала:

— Как ты меня ему подсунешь, дура?

Придешь и скажешь, вот моя подружка, трахайте за деньги?

— По-умному сделаем. У меня и план есть.

— Какой план, Танька?

— Хороший план. В воскресенье придешь, познакомитесь.

Когда в воскресенье я увидела Аркашу, меня затошнило — старше меня лет на тридцать, достает мне до уха, хотя рост у меня не бог весть какой, плешивый, и рожа глупая-преглупая. Я улыбалась, вела себя скромно, к Аркаше выказывала интерес. На кухне шепнула Таньке:

— Да есть ли деньги-то у него, по виду — лопух.

— Есть. Что я, родной подруге свинью подложу?

Посидели мы втроем очень мило, и я Аркаше понравилась, он потом у Таньки про меня выспрашивал, а она, дурочкой прикинувшись, охотно отвечала. Мы не торопились, Аркаше я глаза не мозолила, виделись всего пару раз, но стараниями Таньки интерес ко мне поддерживался. Выбрали день, когда он должен был прийти, я явилась на час раньше, и Танька мне сказала:

— Ладка, муж у тебя актер, за пять лет кой-чему ты у него должна была научиться. Реви так, чтоб деревянного проняло.

И я заревела. Звонок в дверь, Танька открывать пошла, дверь в комнату распахнута

Т. Полякова

настежь, Аркаша на пороге с цветочками, а Танька ему:

— Извини, ради бога, не до гостей сегодня.

Аркаша увидел, как мой бюст ходуном ходит от горьких рыданий, и в квартиру прошмыгнул.

— Что случилось? Почему Лада плачет?

Танька и из себя слезу выжала:

— Иди, Аркаша, не до тебя сейчас. — А он уже в комнате.

— Лада, что с тобой?

— Отстань от нее. Тут такая беда. Ей завтра за квартиру отдавать, собрали деньги, а у нее кошелек в троллейбусе украли. Мужу говорить боится, половина денег в долг. Ох, голова раскалывается, что делать, не придумаю.

Я реву еще громче, голову руками обхватив, а Аркаша бочком ко мне.

— Лада, не плачь, я помогу. Дам я тебе денег.

— Что ты болтаешь, а? — говорит Танька. — Как она тебе их вернет, что мужу говорить будет?

А Аркаша меня по коленочке гладит и ласково так говорит:

— Мы договоримся, Лада, договоримся.

На следующий день приехал ко мне в школу; я всю ночь на кухне книжку читала, чтоб с утра помятый вид иметь, вышла из учительской, головка набок, глаза опущены, а он мне конвертик.

— Вот, Ладушка.

Взяла дрожащей ручкой и сказала:

— Спасибо, Аркадий Викторович.

Через недельку он пригласил меня на дачу. Поехала. За свои деньги Аркаша хотел многого, и я старалась, как могла, ублажала. Однако и управляться с ним научилась быстро. Месяца не прошло, а я уже вертела Аркашей и так и эдак. На деньги был он жаден, но против моего напора устоять не мог. Стал интересоваться моей квартирой, к тому моменту было ясно, что никуда Аркаша от меня не денется, увяз, и я сказала правду. Головой покачал, посмеялся и похвалил:

— Хорошо, что не врешь.

Аркаша быстро шел в гору, а вместе с ним и я. Чуть что, грозилась бросить к чертовой матери. Поначалу он боялся, а потом понял: деньги я люблю до одури и никуда не денусь. Успокоился, ревновал больше для порядка, и как ни странно, а верил мне. И я к Аркаше привыкла. Хоть и противны были его потные ладошки, однако душа родная и дело общее; на свой лад я его даже любила.

Но и Танька была права — бабьего веку оставалось не так много, и возле Аркаши я явно засиделась. Хотелось моей душе чего-то. Потому и о Димке второй день думала, не то чтобы мечтала, а так, нет-нет да и вспомню, улыбнусь.

В понедельник он мне позвонил в школу. Начал путано:

— Лада Юрьевна, это Дима, мы с вами в

четверг познакомились, у вас бензин кончился.

— Дима, — засмеялась я. — Неужели ты думаешь, что я тебя забыла? Откуда звонишь? Я через час заканчиваю, может быть, встретишь меня?

— Конечно, — а в голосе такая радость, кого хочешь умилит.

Он был на машине ярко-красного цвета. Ничего подобного я в жизни не видела.

— Неужели сам собрал? — ахнула я.

— Сам, — Димка даже покраснел от удовольствия.

— На такой красавице ездить страшно. — Я нахваливала машину и Димку и смотрела ласково, а он волновался и явно не знал, что со мной делать. Пришлось прийти на выручку.

— Дима, ты извини, я голодная, как волк. Может, заедем куда, перекусим?

Поехали в ресторан, сидим, друг на друга смотрим, разговариваем. Пришлось признать: Димка мне нравится. Есть в нем что-то такое, от чего сердце сладко ноет и душа поет. А он мне все «вы» да «вы».

— Дима, — говорю, — я что, очень старая?

— Нет, — испугался он.

— А чего ты мне все «вы» говоришь? Он улыбнулся.

— Не знаю. Вы... ты... как королева... я думал, такие женщины только в кино бывают.

— Это все тряпки. Увидишь меня в халате, и я покажусь такой невзрачненькой, что смешно станет.

— Невзрачненькой? — улыбнулся он. — Это слово тебе не подходит.

На следующий день мы опять встретились, когда муж был в театре. Летела как на крыльях, смех, да и только. Катались весь вечер по городу, болтали, я улыбалась и смотрела по-особенному, а он мне на прощание руку жал. Забавно.

На досуге я поразмыслила и решила, что пора показаться ему в халате. Сама ему на работу позвонила. Фамилии его не знала, но дама я настойчивая, потребовала Димку, слесаря. Нашли.

— Дима, — голос у меня ласковый, медовый, — это Лада. Хочу тебя в гости пригласить. Как ты на это смотришь?

— А как же... — начал он и осекся. — Хорошо я на это смотрю.

— Адрес запиши, — засмеялась я.

Уже года два, как Аркаша мне квартиру купил, там мы с ним и встречались, не грех было ее разок использовать в свое удовольствие. Дима больше вопросов не задавал, пришел минута в минуту, с цветами, шампанским и конфетами. Я открыла в халате, сказала «привет» и чмокнула его в щеку. Он покраснел, его руки забавно дрожали.

— Как я тебе в халате? — спросила я, а он ответил:

— Лучше, чем в вечернем платье.

Мы сели за стол, выпили шампанского,

о чем-то болтая. Я смотрела на Димку, и сердце у меня то колотилось со страшной скоростью, то замирало. Говорить о пустяках становилось все труднее. На словах спотыкались и торопливо отводили взгляды. Я так волновалась, что бокал опрокинула, залила шампанским Димкины брюки. Вскочила и за полотенцем кинулась:

— Извини, ради бога.

Он засмеялся:

— Ерунда.

Взял меня за руку, сердце у меня застучало где-то в горле, я посмотрела в его глаза и сказала:

— Димка, поцелуй меня, пожалуйста.

Больше мне ни о чем просить не пришлось. Любовник он был восхитительный: нежный и страстный, у любой женщины дух бы захватило. Три часа прошли как три минуты, пора было домой. Я украдкой взглянула на часы, хотела подняться. Он меня за руку схватил, потянул на себя легонько:

— Лада...

Я только улыбнулась и, махнув на все рукой, прижалась к его груди. Через час позвонила домой, муж из театра вернулся.

— Валерочка, — сказала, — я здесь на вечеринку забрела, припозднюсь. Ты не беспокойся, меня проводят.

И опять к Димке.

Поздно ночью, когда я торопливо одевалась, он подошел сзади, обнял и спросил тихо:

— Лада, это ведь все не просто так?

Я замерла на мгновение, повернулась к нему, испуганно посмотрела:

— Глупый, неужели ты сам не видишь?

— Я люблю тебя, — очень тихо сказал он, и я тоже сказала «люблю», а чего не сказать?

Расстались мы с трудом, часа два возле моего дома в машине сидели, раз двадцать начинали прощаться и вновь откладывали расставание еще на пять минут.

Весь следующий день меня трясла любовная лихорадка, к телефону бросалась, как голодная собака, коллеги смотрели с подозрением.

Димка позвонил в три, а у меня уже руки дрожали от нетерпения.

— Димочка, — пролепетала я едва слышно и только что не заревела.

— Лада, — сказал он, голос его дрожал. — Я сейчас приеду. Ты слышишь?

— Да, — ответила я, схватила шубу и бегом кинулась из школы.

Он подъехал через пару минут, не помню, как в квартире оказались...

И пошло... Ни о чем, кроме Димки, я уже думать не могла.

— Прорвало, — усмехнулась Танька, — досиделась. Завязывай с ним, а то Аркаша быстро узнает, оторвут башку твоему хахалю, и тебе достанется.

— Не узнает, — нахмурилась я.

— Хитрости в тебе нет. Чего ты с этим пацаном по городу таскаешься? Полно знакомых, донесут папуле, глазом моргнуть не успеешь.

— А ты не каркай, — разозлилась я, потому что Танька, конечно, была права.

— Слышь, Ладка, ты баба умная, но впечатлительная. Влюбляться тебе никак нельзя. Сгоришь.

Я только махнула рукой.

Прошло недели две. Димка меня, по обыкновению, встретил с работы, и мы поехали на квартиру. Все было как обычно, и ничто не предвещало грозы, пока он вдруг не спросил:

— Чья это квартира?

— Моя, — с легкой заминкой ответила я.

— Но ты ведь здесь не живешь?

Димке врать не хотелось, я подумала и сказала правду:

— Я тебе про папу говорила... Папы нет — есть любовник... богатый.

Сказала и тут же покаялась. Лицо у Димки пошло пятнами, он весь затрясся.

— Ты, ты... — Он стал задыхаться, слово произнести не может. Я заревела и рассказала историю своей жизни, красочно и жалостливо; он хмурился и кусал губы. Расстались мы в этот день как-то холодно, и я вся извелась. Но на следующий день он все же позвонил мне, от сердца отлегло, но не надолго. Димка стал задумчивый, странный, в глазах тоска. Через месяц после нашего первого свидания сказал:

— Лада, я не дурак, все понимаю... В об-

щем, есть у меня возможность хорошо заработать... Не хотел я этого, то есть я хотел все
сам... что-то я не то говорю... Если у меня
будут деньги, ты его бросишь?

Я подумала, что не мешало бы мне вспла-
кнуть, и всплакнула.

— Ты ничего не понял, — рыдала я. —
Я тебя люблю, я тебя очень люблю.

Димка стоял на коленях, целовал мне
руки и только что не плакал со мной.

— Лада, милая, я ведь хочу, чтобы у нас
все было по-настоящему, я на тебе женить-
ся хочу.

Эта мысль мне не понравилась.

— Димка, я ж на пять лет тебя старше!

— Ну и что? У меня мама на три года
старше отца. Подумаешь! Лучше скажи, ты
меня любишь?

— Люблю.

А еще через неделю мы лежали рядом, и
Димка сказал:

— Глаза закрой.

— Зачем? — удивилась я.

— Очень ты любопытная.

Когда я открыла глаза, на моем животе
лежал большой изумруд в оправе на длин-
ной цепочке. Я ахнула, а потом испугалась.

— Где взял? — накинулась я на Димку.

— Купил, — пожал он плечами.

— Купил? — Я вскочила. — Откуда у тебя
деньги?

— Заработал.

— Где, где ты мог заработать такие деньги?

Я разозлилась не на шутку. Димка отнекивался, а потом рассказал путаную историю о мужике, которому надо было срочно отремонтировать помятую машину. История выглядела подозрительно.

— Димка, — сурово сказала я, — ни во что не ввязывайся.

Он засмеялся, погладил мою грудь и спросил:

— Ты меня любишь?

— Конечно, люблю.

— Бросишь его?

— Брошу, только дурака не валяй.

Как Аркаша и обещал, машину я получила к двадцать третьему февраля. Надо было его отблагодарить, и я поехала к Аркаше в контору. Конторой именовали ресторан с дурацким названием «Ну, погоди». Придумал название сам Аркаша и страшно этим гордился. Ресторан был его легальным бизнесом и приносил ощутимый доход, здесь Аркаша проводил большую часть своего драгоценного времени, здесь строил замыслы и отсюда умело пакостил остальному человечеству.

Я припарковала машину, подкрасила губы и отправилась к дорогому другу. Было часа три, в зале пусто, за стойкой, развалясь с кошачьей грацией, сидел Генка Ломов, или попросту Лом. Был он ближайшим Аркашиным помощником по части пакостей, а здесь числился кем-то вроде администратора. Мозги Лома при желании можно было уместить в спичечный коробок, но подлец он был невероятный, и я предпочитала дружить с ним, как, впрочем, и все, с кем сталкивала его жизнь. Росту Лом был огромного, мускулатуру имел такую, что мог потягаться с некоторыми признанными звездами, рожу наглую и улыбку, как бриллиант в тридцать два карата. Был в Ломе особый бандитский шарм. К природным достоинствам странным образом приплелась любовь к гангстерским фильмам, оттуда Лом позаимствовал привязанность к дорогим костюмам, рубашкам с запонками, гладко зачесанным волосам и белому кашне. За белое кашне местная шпана его особенно уважала. В образ этот он вжился потрясающе, бабы по нему с ума сходили, и, когда по вечерам он вышагивал с ленцой по ресторану, сунув руки в карманы и насвистывая негритянский мотивчик, из всех углов неслись тихие бабьи стоны.

Несмотря на всю эту клоунаду, свое дело Лом знал хорошо, был крут, а если надо, то и беспощаден, боялись его до судорог. Аркаша Лома не любил, потому как рядом с ним выглядел сморчком, а чтоб в глаза помощнику взглянуть, голову запрокидывал чуть ли не на спину и злился страшно, но без Лома обойтись не мог и терпел его.

Генка увидел меня, блудливо улыбнулся и сказал нараспев:

— Ладушка.

— Привет, Ломик, — мяукнула я и подошла вплотную.

Он слегка раздвинул ноги, касаясь коленкой моей ноги, ухмыльнулся еще шире и только что не облизнулся. Я облокотилась на стойку — в таком ракурсе бюст мой выглядел сокрушительно. Лом воззрился на него и все-таки облизнул губы.

— Аркаша здесь?

— Ага. Вчера Косой был. Фейерверк устроил. Старичок наш убытки подсчитывает. Злой как черт.

— А ты чему радуешься?

— А мне что? Я считать не мастер. В школе двоечником был. Мое дело кулаками махать.

Лом посмотрел на свой здоровенный кулак с печаткой на мизинце и любовно его погладил. Я усмехнулась и еще чуть-чуть продвинулась вперед. Лом покосился на дверь Аркашиного кабинета, легонько меня по бедру погладил и опять пропел:

— Ладушка, красавица ты наша. Смотрю я на тебя, и челюсти сводит.

— А ты их разожми.

— Боюсь из штанов выпрыгнуть.

— А ты штаны-то сними, не стесняйся, что я, мужика без штанов не видела?

— Как же, мне Аркаша за тебя враз башку оторвет.

— Ну и что, она у тебя все равно только для красоты. Ты ж ею не пользуешься.

Он опять ухмыльнулся, спросил:

— Старичок тебе «Волгу» пригнал?

— Мне.

— Раскошелился, значит. — Лом снова погладил мое бедро. — Как он с тобой управляется, козел старый, такую бабу ублажить надо, а, Ладушка? Доведешь старичка до инфаркта. Перетрудится.

— Берегу я его, не балую.

Лом засмеялся.

— Стерва ты, Ладка.

— Конечно, стерва, а кто еще с вами, бандюгами, вязаться будет?

— И то верно, — согласился Лом. Тут дверь Аркашиного кабинета открылась, и он сам выкатился.

— Чего вы там шепчетесь? — Он нахмурился. Я подошла к нему и поцеловала в лысину.

— Спасибо за подарок.

Он подозрительно покосился на меня, потом на Лома и сказал:

— Идем, поговорить надо.

В кабинете я села на стол, распахнув шубу.

— Коленки-то убери, — досадливо буркнул Аркаша. — Войдет кто-нибудь.

— Ну и что? Иди сюда.

— Подожди. Вчера Косой был.

— Знаю. Лом сказал.

— Грозился.

— Подумаешь. Иди, я тебя поцелую.

— Да прикрой ты коленки, ну что за баба. Ух, глаза бесстыжие.

— Отстань, надоел.

— Надоел. Только и слышу. О чем с Ломом шептались? Думаешь, не видел, как он задницу твою оглаживал? Мужа тебе мало, а? Что ты перед ним титьками-то трясешь? Ведь просил, просил же...

— Да пошел ты к черту, — сказала я и направилась к двери.

— Подожди... Куда ты?

— Домой. Тошно мне от тебя. Приехала за машину спасибо сказать, а ты, как филин, ухаешь.

Аркаша подкатился ко мне колобком.

— Ладуль, кто у тебя на квартире был?

— Сдурел? — вытаращила я глаза.

— Вчера заезжал. Пустые бутылки из-под шампанского, накурено.

— Девичник устраивала.

— Врешь. Вижу, что врешь. Узнаю чего... Молодого захотелось, да?

— Захотелось, захотелось, — вздохнула я и стала в окно смотреть. — Ты бы, зануда, спасибо сказал, что я с тобой столько лет живу и ни разу тебе не изменила. Докаркаешься, начну таскать на квартиру кого попало.

— Я тебе потаскаю... — начал Аркаша, но закончить не успел, в комнату кто-то вошел и сказал:

— Привет, пап.

Обращение «пап» было так забавно, что я с любопытством оглянулась и замерла с открытым ртом: на пороге стоял Димка.

— Привет, — брякнула я и улыбнулась. Димка вытаращил глаза.

— Проходи, сынок, — засуетился Аркаша, взглянул на меня и недовольно буркнул: — Иди отсюда.

Я выплыла из кабинета. В голове моей все перепуталось. Димка — Аркашин сын... А я-то хороша, могла бы поинтересоваться фамилией любимого, да и всем остальным тоже. Ситуация мне не нравилась. Что, если Димка сдуру все расскажет отцу? Прощай, денежки.

Я покосилась на Лома. Он все еще сидел за стойкой и мечтательно разглядывал потолок. На всякий случай его стоило пригреть. Я подошла и села рядом.

— Старичок не в духе? — спросил Лом.

— Не в духе. А кто это к нему пожаловал?

— Димка-то? Сын. То от папаши нос воротил, не желал знаться, а тут забегал. Папа понадобился. Аркаша взялся его натаскивать. Династия. А я вчера в театре был.

— О господи. Как тебя занесло?

— Мужа твоего хотел посмотреть. Любопытно. Красивый мужик.

— Ага. Ален Делон.

— Не знаю такого. Видать, не из наших.

— Видать, Ломик, видать.

— Все дразнишь? — пропел Генка.

— Дразню. — Я сунула руку под его пиджак, Лом ухмыльнулся, глаза стали маслеными, он обхватил меня коленками и шепнул: — Сдурела? Увидят.

— Так нет никого.

Лом притянул меня поближе, зашептал горячо:

— Приходи ко мне, слышишь? Ты ж знаешь, как я тебя хочу. Как увижу тебя, выть хочется. Ну на кой черт тебе этот хрыч, а? Я тебя так ублажу...

— Ага, — хмыкнула я, — сам говорил: Аркаша голову оторвет.

— А ну его к черту.

Аркаша, легок на помине, выкатился из кабинета, а за ним Димка, полоснул меня взглядом и исчез за дверью. Аркаша потрусил к нам.

— Все обжимаетесь...

— Разговариваем, — ухмыльнулся Лом.

— Вижу, как вы разговариваете.

Я разглядывала его круглую физиономию, силясь отгадать, проболтался Димка или нет? Кроме обычного выражения ласковой глупости, на нем ничего не было.

— Это кто? Неужто сынок твой? — спросила я.

Аркаша нахмурился.

— Разглядела, кошка. Успела задницей крутануть.

— Не может быть у тебя такого сына. Откуда? Высокий, красивый.

— В отца, наверное, — хмыкнул Лом и тут же добавил: — Ну, пошутил...

— А Ломик прав, — мяукнула я, — наставила тебе рога лет двадцать пять назад дражайшая половина.

— Ты сына не трожь, — грозно сказал Аркаша, и выглядел он при этом страшно забавно. Лом фыркнул и отвернулся, а я ресницами взмахнула пару раз, в глаза дурнинки напустила и сказала ласково:

— Сынок у тебя, Аркаша, красавец и на тебя похож. Что-то есть, правда. Глаза, да, Ломик?

— Точно. И волосы. — Лом радостно хрюкнул и на Аркашу покосился, а тот на меня.

— Ты на сына не смотри, слышишь? Я серьезно. Он парень молодой, кровь горячая, а ты своей задницей так накручиваешь, аж ресторан ходуном ходит. Чего ты вообще сюда приехала, я что, звал?

— Нет. Теперь и позовешь, не приду. — Сделав свирепое лицо, я направилась к выходу. Здесь меня Аркаша и перехватил.

— Ладушка, ну прости, Косой достал, ты с Ломом обжимаешься, Димка тебя увидел, неловко перед сыном. Ты бы поскромнее. Ну чего из юбки-то вылазить, а? Он мать любит, а ты... Ходишь точно кошка. Неудобно.

— Утомил ты меня, Аркаша, — сказала я. — На тебя не угодишь. То дай поглажу, то коленки убери, то соскучился, то не звал. Пошлю-ка я тебя к черту. Подумай на досуге, чего тебе от меня надобно, и позвони.

Одно было хорошо: Димка промолчал. Следовало его найти и поговорить. Аркашин домашний телефон я знала и воспользовалась им. Трубочку сняла матушка, ласково со мной поговорила и Димку позвала.

— Дима, — голосок у меня стал тоненький, аж звенит, — нам встретиться надо. Приезжай.

— Нет, — отрезал он, а я заплакала.

— Приезжай.

— Не жди, не приеду, — и повесил трубку.

Где не приехать, приехал. Правда, часа через два и во хмелю. Глаза мутные, смотрел исподлобья, прошел, сел на диван. Я пристроилась в ногах, за руки его схватила и сразу реветь. Он горестно помолчал, погладил меня по волосам и сказал:

— Знаешь, как тебя мать зовет? «Отцова сука».

Положим, с их маменькой у нас старые счеты, но говорить ей так все же не следовало.

— Пусть зовет как хочет. Я люблю тебя.

— Господи, Ладка, ты и отец. Не могу поверить. Скажи, все это время ты и с ним...

— Нет, — зарыдала я, тряся головой. — У нас с ним давно ничего нет. Старенький он стал, не до того...

Димка дернулся и рявкнул:

— Замолчи, замолчи, слышишь...

— Дима, мальчик мой, — зарыдала я еще громче. — Чего ты себе душу-то рвешь? Ну случилось и случилось, что же теперь?

— Ничего ты, Ладка, не понимаешь. Как я тебя в дом приведу, отцову суку, как?

«Так и не надо», — очень хотелось сказать мне, но это было не к месту, а ничего другое в голову не шло. Я стала Димке зажимать рот губами, чтоб помолчал немного, потом начала торопливо расстегивать его штаны.

— Перестань, — сказал он, но не убедил меня, и кончилось все так, как я и хотела.

Мы лежали обнявшись, Димка оглаживал мою грудь.

— Поговорю с отцом. Побесится и простит. Мать жалко, конечно, а что делать?

Мне это очень не понравилось.

— Подожди, Дима, я сама с ним решу. У меня лучше получится. Ты только не торопи меня. Я все сделаю, вот увидишь, все хорошо будет.

Димка начал возражать, но я от его губ переместилась вниз, и его хватило минут на десять, потом он про Аркашу забыл, сладко постанывал, шептал «Ладушка» и в конце концов со всем согласился.

— Надо ж так нарваться, — клокотала Танька, — из всех щенков в городе выбрать Аркашкиного! Черт попутал, не иначе. Ладка, завязывай с ним, засветишься. Хочешь, я тебе мужика подсватаю? Высоченный, и весу в нем килограммов сто двадцать, ей-богу. Огонь мужик. Хочешь?

— Ты, Танька, дура, прости господи.

— А ты умная? Ну что тебе Димка, свет клином на нем сошелся? Да таких Димок по городу собирать замучаешься. Это ты с непривычки так к нему присохла. Пригрей другого, третьего, и все пройдет. Учись у меня.

— Отстань, Танька, Димку я не брошу. Хочу, и все.

Танька тяжко вздохнула.

— А мой-то недоумок тоже в бандюги подался... Дружки, мать его... Ошалел от денег, еще и хвалится. Недоумок, как есть недоумок. Морду отожрал, а мозгов не нажил. И откуда у Аркаши такой сын? Черт плюгавый, смастачил же. Боек был по молодости папашка.

В одном Танька была права: засветиться мы могли запросто. Следовало соблюдать осторожность. Я уговорила Димку встречаться пореже, да какое там! Стоит ему позвонить, у меня уже коленки трясутся.

— Лада, — говорит он, — просто увидимся, в машине посидим.

Как же, посидишь.

— Поедем, хоть на полчасика.

А в квартиру вошли и все на свете забыли. Я у Аркаши недели три не появлялась. Знаю, что съездить надо, а душа не лежит. Все мысли только о Димке. После Восьмого марта он за мной заехал на работу.

— Ладушка, соскучился.

У меня с утра было дурное предчувствие, знала, что не нужно на квартиру ехать, но послушалась Димку, и мы поехали.

Димка на коленях возле постели стоял и мои бедра языком нализывал, а я руками простыни мяла и сладко поскуливала. Та еще картина. Тут черт и принес Аркашу. Вкатился в комнату и заорал:

— Ах ты, сука... Чуяло мое сердце, чуяло.

Димка дернулся, поднял голову от моих коленок, и Аркаша охнул:

— Сынок... — да так и замер.

Димка стал торопливо натягивать штаны, Аркаша хватал ртом воздух, а в дверях Лом подпирал спиной косяк и ухмылялся. Я перевернулась на живот, положила головку на ладошки, задницу приподняла и мурлыкнула:

— Ломик, ты что ж в дверях-то стоишь, как не родной, ей-богу.

Лом хохотнул и на Аркашу покосился. Тот в себя пришел.

— Оденься, потаскуха, смотреть на тебя тошно.

— Перестань, отец, — подал голос Димка.

— Сынок, — запричитал Аркаша, — ну что ты с ней связался, стерва она. Ведь все нарочно делает, из подлости, чтоб досадить. Ты думаешь, она с тобой спит так просто? Деньги ей нужны. Шлюха она, шлюха, сука бессовестная. Ты посмотри на нее, вон развалилась, кошка блудливая, подходи и бери кто хочешь, только деньги плати.

— Замолчи! — Димка пятнами пошел, глаза горят, а Аркашка рядом с ним пританцовывает.

— Сынок, облапошит она тебя, помяни мое слово. Да если б я знал, что у вас по-хорошему, да разве ж я... Ты ведь мне сын и всего на свете дороже. Только ее-то я знаю как облупленную. Погубит она тебя.

— Уйди, отец, — стиснув зубы, сказал Димка. — Прошу, уйди.

И тут Аркашка-стервец номер выкинул: взял и заплакал. Слезы по его глупому лицу покатились, а он жалобно так заговорил:

— Дима, сынок, на что она тебе! Ты молодой, у тебя все впереди, будут у тебя еще бабы, а мне, может, и осталось совсем ничего. Одна у меня радость в жизни, вот эта сучка. Прикипел я к ней.

На Димку смотреть стало страшно. Грудь ходуном заходила, глаза больные, бросился бежать вон из комнаты, схватил куртку, хлопнул дверью.

— Сукин ты сын, — сказала я Аркаше. — Родного сына в дураках оставил. Мастер. Что-то тошно мне с вами, пойду в ванную, а вы выметайтесь.

Пошла мимо Лома, он на меня глаза пялил вовсю, а морда довольная.

— Что, Ломик, — сказала я ласково, напирая на него грудью. — Твоя работа?

Он облизнулся, а Аркаша заорал:

— Уйди отсюда, уйди, пока не убил.

Следовало найти во что бы то ни стало Димку. А он исчез. Раз пять домой звонила, трубочку маменька брала: «Димы нет». С утра возле их дома в машине сидела, из автомата звонить бегала. Из дома он не выходил, и дома его, по словам матери, нет. Ясное дело, врет. Плюнула на все и пошла к нему. Маменька дверь открыла, увидела меня и глаза вытаращила:

— Ах ты, бесстыжая!

Я сделала шаг и рявкнула во весь голос:

— Димка где?

— Нет его, уехал.

— Врешь. Дома он.

— Уходи немедленно, милицию вызову.

— Вызывай. Не уйду, пока Димку не увижу.

Тут он и появился. Видок у него как с перепоя, глаза больные, лицо бледное.

— Идем, — сказала я и к выходу, он за мной, а маменька за ним.

— Дима, не ходи с ней, — закричала.

— Мама, успокойся, я сейчас, — ответил он.

Меня трясло так, что зуб на зуб не попадал; спустились мы на один пролет, у окна встали. Родительница все ж таки выскочила.

— Мама, — попросил Димка, — не надо весь подъезд по тревоге поднимать. Я сейчас.

Дверь она закрыла неплотно, подслушивала, язва. Мне, впрочем, на это было наплевать.

— Дима, — заплакала я, — не бросай меня, пожалуйста.

Он отвернулся.

— Тебе обязательно надо было себя шлюхой выставлять?

— А что мне делать? В ногах у родителя твоего валяться? Не дождется.

— Грязно все это, — сказал он, поморщившись, а я дернулась, точно меня ударили.

— Я тебя не обманывала. Ты знал с самого начала.

— Знал, только не про отца.

А у меня мысли путались. Надо было что-то сказать, убедить его, заставить со мной поехать, а я только смотрела на него во все глаза, чувствуя, как сердце рвется на части. Протянула к нему руку, позвала:

— Дима.

Он дернул головой:

— Не надо.

Я бросилась бегом по лестнице, думала, за мной кинется, позовет... Не кинулся и не позвал. Я выскочила из подъезда, успев услышать, как хлопнула дверь в его квартиру. Села в машину, реву, слезы, как горох. Поехала к Таньке на работу, наревелась вдоволь, дождалась, когда муж в театр уйдет, и домой отправилась, опять реветь.

Едва приехала, как в дверь позвонили. Я кинулась со всех ног открывать, думала, может, Димка, а это Аркаша.

— Уйди! — крикнула я ему. — Уйди, мерзавец, видеть тебя не хочу.

Села на диван, лицо в подушку зарыла, а Аркаша в ногах пристроился и ласково запел:

— Ладушка, не плачь, радость моя. Ну что тебе Димка, только и хорошего в нем что молодость. А я-то тебя как люблю, а, Ладушка? Мне-то каково? Давай мириться.

— Уйди, подлюга, — заорала я, — тошно мне от тебя. Умру я без Димки.

— С чего умирать-то, Ладушка? А я к тебе с подарочком. Поезжай в круиз по Средиземному морю. Слышишь, Ладуль, отдохнешь, загоришь, тряпок купишь. Ладушка, красавица моя, ну погуляй, развейся, я ж не против, слышишь? Поезжай, а я тебя ждать буду. Приедешь, и все у нас по-старому пойдет. Все хорошо будет.

Из круиза я вернулась в начале мая. Позвонила Таньке. Она прибежала за подарками, ну и барахло посмотреть, само собой.

— Ладка, загар — убиться можно, выглядишь — класс. Аркаша тебя заждался, дни считает. Когда, говорит, Ладуля приедет? Ты ему звонила?

— Завтра, — отмахнулась я. — Танька, как тут Димка?

— А что Димка? Хорошо. Бабу завел. Вовка рассказывал. Студенточка какая-то, говорит, ничего. Конечно, с тобой ей и рядом не стоять, но девахе девятнадцать годков, сама понимаешь. Вовка говорит, он ее из института встречает, к себе домой приглашает. Любовь. Мужик-то, что я говорила, цел. Хошь, посватаю?

— Отстань.

— Да на хрена тебе Димка? Свет в окошке. Добро бы дело. Мой вон, стервец, пропадал три дня, говорит, машину новую обмывал, чай, с бабами шарахался. Все они козлы... Я своего поперла. Прибегал мириться, в ногах валялся. К себе больше не возьму, пусть с мамашей живет, недоумок.

— А чего вообще держишь?

— Как не держать? Привыкла, жалко. Опять же, пропадет без меня. Ну какой из него бандит, его курица облапошит. Одно слово — недоумок. Лом про тебя спрашивал, говорит, скучает.

— Он все и подстроил, подлюга. Я его достану.

— Не связывайся с ним, себе дороже.

С Ломом все-таки надо было разобраться, Димку я ему ни в жизнь не прощу. Приехала я как-то в контору, в баре Пашка сидел, по части где чего достать — первый человек. Я к нему подсела. Пашка улыбался, меня разглядывал, и я улыбнулась, ласково так, и попросила:

— Паш, наручники достань.

— Наручники? — вытаращил он глаза. — Зачем?

— Да в кино один прикол видела, хочу папулю порадовать.

Пашка хмыкнул:

— Ясно. Достану.

— Когда?

— Да завтра приходи, принесу.

Принес. Тут и Аркашка весьма кстати в Москву собрался, проводила я его — и в контору. Утро, народу ни души, Лом с мужиками в подсобке резался в карты. Я вошла и заулыбалась с порога.

— Привет, мальчики.

Лом оглядел меня с ног до головы, облизнулся и пропел:

— Ладушка...

— Ломик! — Я подошла поближе, чтоб он мои коленки чувствовал, колыхнула бюстом и сказала: — Аркаша уехал, а мне деньги нужны.

Лом ничего спрашивать не стал, молча бумажник протянул. Я денежки отсчитываю, он как раз партию доигрывал и говорит:

— Бери все.

Я и взяла. А чего не взять, если дают? Бумажник вернула.

— Спасибо, Ломик, — говорю ласково, — Аркаша приедет, отдаст.

И пошла. Лому карты враз неинтересны стали. Догнал он меня в коридоре.

— Ладушка.

Я у стеночки встала, улыбаясь. Лом подошел, руками в стенку уперся возле моих плеч, посмотрел шалыми глазами. Я бюстом еще разок колыхнула, так, для затравки, и мурлыкнула:

— Руки убери, увидит кто.

— Да нет никого, — шепнул он, обхватывая меня своими ручищами. — Ладушка, давай по-хорошему, а? Поехали ко мне, думаешь, я хуже Димки? Да я тебя так ублажу... а, Ладушка?

И сразу ко мне под подол полез, рожа стала багровая, руки потные, а я коленочку к его бедру прижала.

— Поехали, — хрипит.

— Аркаша узнает, — шепнула я, а сама ему шею нализываю.

— Да черт с ним, поехали.

— Да подожди ты, мужики увидят.

— Я им башки враз поотшибаю, не бойся.

— К тебе не поеду. Ко мне приезжай.

— Когда?

— Часа через два.

— Да я свихнусь за это время.

— Ничего, в самый раз будет.

Лом все-таки меня выпустил, я подол одернула и бежать.

Через два часа он явился, с шампанским, шоколадом, жратвой на целую роту, а самое главное, с букетом роз. Все-таки Лом мужик забавный. Я встретила его в пеньюаре, грудь под кружевом выглядела весьма эротично. Он затрясся и сразу полез ко мне.

— Да подожди ты, господи, — разозлилась я. Взяла его за руку и потянула к тахте. Лом, как на учениях, за две секунды пиджак с рубашкой стянул и меня глазами жрет, за штаны принялся, но я его остановила:

— Подожди, я сама. Ложись.

Он бухнул свои сто килограммов на тахту, ножки слегка подогнулись, а пол затрясся. Я сняла пеньюар, Лом только охнул. Торопиться я не стала, попросила:

— Руки откинь назад.

— Зачем? — удивился Лом.

— Узнаешь, — шепчу я.

Он руки за голову закинул, а у меня уж все заранее приготовлено: наручники за трубу от батареи продернуты и подушечкой прикрыты. Я щелкнула наручниками, а Ломик удивился:

— Зачем?

— Мне так больше нравится.

Он хмыкнул, повел шалыми глазами:

— Выдумщица.

Ломик лежал в наручниках, а я с него снимала штаны. Не спеша. Он поскуливать начал и спину поднимать. А я ноги ему нализывала. Добралась до левой щиколотки, ремешком ее зацепила и привязала покрепче к ножке тахты. И по правой ноге поехала. Лом сначала выл, потом заорал:

— Ладка, иди ко мне, слышишь?!

— Сейчас, — ответила я ласково.

Зацепила вторую ногу, нежно поцеловала его в пупок и спрыгнула с тахты на пол, подняла с пола пеньюар. Ломик глаза выпучил.

— Отдыхай, сокол, — сказала я. — Съезжу в контору, мужики тебя освободят, узнаешь, как перед народом без штанов лежать.

Лом ни грозить, ни уговаривать не стал. Глазами полоснул, кадыком дернул и спросил:

— За этим звала?

Рожа у него была — страшнее не придумаешь. Я почувствовала настоятельную потребность обдумать ситуацию, затопталась по комнате, время тянула. Над мозгами Лома можно потешаться сколько угодно и дразнить его этим бесконечно, но вот мужское достоинство задевать не следовало. Ни в жизнь не простит. Я покосилась на Лома: глаза горят, челюсти сжаты... Самое невероятное — он все еще хотел меня. Я подошла ближе, а он почувствовал что-то, хрипло позвал:

— Иди ко мне, быстро, ну?

— Уйдешь тут, как же, — досадливо сказала я и у него между ног устроилась. Темперамент у Ломика будь здоров: не Аркаша, не муж и не Димка. Лом стонал, я повизгивала, одно слово: зоопарк. Я ему грудь целую, а он ко мне тянется, орет:

— Развяжи мне ноги, твою мать, неудобно...

Пришлось развязать. Он стиснул ногами мою задницу, ноги у него железные, я только охнула. Волосы мне на глаза падают, воздуха не хватает, Лом весь в поту, нижняя губа в кровь искусана.

— Сними, наручники, — просит, — я тебя приласкаю.

Словечко показалось мне двусмысленным, я на его лицо воззрилась, силясь отгадать, какой пакости от него следует ждать, а у него глаза мутные, губы свело, видно, не до пакостей сейчас человеку.

— Да сними ты эти наручники, черт тебя дери, без рук кайф не тот.

Я решила рискнуть, сняла их и в угол бросила. А Лом на меня кинулся, как стая голодных волков. Неутомимый у нас Ломик.

Уже поздно вечером мы сидели на кухне. Я пила шампанское, Лом стакан водки хватил, усадил меня к себе на колени и запел:

— Ладушка, красавица моя, ну что, ублажил?

Я поцеловала его, похвалила за старательность, а он сказал:

— Нам с тобой друг друга держаться надо. Слышь, Ладуль, я серьезно. Мало ли чего с Аркашкой... Кто у дела будет? Я, может, мозгами не очень, ну так и не лезу, а ты баба умная. Ладушка, я ведь знаю, Аркаша без тебя шагу не сделает, ты у него первый советчик, все дела знаешь. А я в этой бухгалтерии ни черта не смыслю. Давай дружить. Мы вдвоем с тобой таких дел наворотим, все деньги наши будут, а, Ладуль?

— Чего это ты Аркашу хоронишь? — удивилась я.

— Так давление у него. Жаловался.

— Кого ты слушаешь? Он нас с тобой переживет.

— Да на черта он нам, козел старый. Не надоел он тебе? Ты подумай, Ладуль, ну чего этому черту все: и баба такая, и деньги. Инфаркт я ему мигом устрою, ты только шепни.

Слова Лома меня слегка настораживали: эдак он завтра вспомнит, что тут нагородил, и с перепугу голову мне оторвет. Надо было что-то придумать.

— Ломик, — я время тянула, целовала его и грудью терлась, — скажи мне слова.

— Какие?

— Ну, какие мужчина женщине говорит.

И Лом сказал. Слов пятнадцать, десять из них порядочная женщина даже мысленно повторить не сможет. Я покраснела, а Лом заржал.

— Ладушка, радость моя, я ведь по-хорошему с тобой хочу. Поженимся, все деньги наши будут, слышь? Я ведь знаю, ты баба честная, сколько лет с Аркашкой жила и ему не изменяла, я ж приглядывал. А Димка, понятное дело, что ж тебе была за радость со стариком... Со мной все по-другому будет. Ты, может, думаешь, я бабник? Да на хрена они мне, ну лезут, суки, лезут, я ж один живу. Почему я до сих пор не женился, а? Я тебя жду, век свободы не видать, если вру. Слышишь, Ладушка?

— Слышу, — вздохнула я.

— Так что скажешь?

— Считай, я в деле. Только вот что, горячку не пори, здесь по-умному надо... Я к делам присмотрюсь получше, вникну, чтобы разом все к рукам прибрать.

— Хорошо, Ладуль, как скажешь.

— И от меня подальше держись, — попробовала я внести ясность. — Аркаша не дурак, смекнет, в чем дело.

— Понял, — кивнул Лом. — Завтра увидимся? Приезжай ко мне, слышишь?

— Ломик, хочешь дело делать, о сексе забудь, — наставительно сказала я.

— Как забыть, — ужаснулся он, — ты что, Ладушка, да на черта мне тогда и деньги?

Да, трудно было говорить с распаленным страстью Ломом.

— Надо поосторожней, меня слушай, скажу можно, значит, можно. Понял?

— Завтра, да? — спросил Лом, заглядывая мне в глаза.

— С ума сошел? Ты меня вообще-то слышишь?

— Но сегодня время-то еще есть?

Прошел месяц. Димку я так ни разу и не видела. Душа изболелась. В начале лета пришла в контору. Лом тосковал на диване. Я села на стол напротив него, ногу на ногу закинула.

— Где Аркашка? — спросила.

— Здесь. Суетится. Радость у нас, сына женим.

— Димка женится? — Как ни ударила меня новость, но перед Ломом я сдержалась, спросила спокойно.

— Ага. Старичок наш рад, до потолка прыгает. Студентка, спортсменка и просто красавица. Порядочная. На порядочность старичок особенно напирал, видать, уже испробовал.

— А где гулять будут, здесь?

— Обижаешь, сына жени, один он у нас. В «Камелии». Старичок народу сгоняет, целый табун.

— Ты пойдешь?

— Конечно. Кто ж за порядком следить будет?

— Да когда свадьба-то?

— Послезавтра. Старичок по горло занят, слышь, Ладуль? Поедем ко мне?

Лом поднялся, руки мне под подол сунул и целоваться полез.

— Ломик, ты опять за свое, — мурлыкнула я. — Ведь договорились.

— Договорились, договорились, не могу я. Хлопну папулю, надоел, прячься от него, больно надо. Без трусиков?

Лом наклонился, лизнул мне ногу, усмехнулся блудливо:

— Хочешь?..

— Я тебя, черта, как вспомню, на стенку лезу.

— Ладуль, ну чего ты...

— С ума сошел, Аркаша увидит.

— В машину пойдем, на пять минут, а? Сил нет.

— Потерпи до Димкиной свадьбы.

— На всю ночь? — хмыкнул Лом.

— На всю, да пусти подол-то, — разозлилась я.

Аркаша в кабинете на калькуляторе что-то высчитывал, увидев меня, заулыбался. «Сейчас ты у меня улыбаться перестанешь».

— Денег дай, — сказала я.

— На что? — спросил он, подхалимски улыбаясь.

— На все.

— Ладушка, сына женю, прикинь, какие траты.

— Чего на свадьбу не зовешь?

Аркаша заерзал.

— Сама подумай...

— Ты что ж, стыдишься меня, что ли? — вскинула я голову.

— Да господи, да разве ж в этом дело? Только ведь...

— Значит, так, — сказала я, — добром не пригласишь, сама приду. Я вам такую свадьбу устрою, век помнить будете.

Аркаша поерзал, пожаловался на судьбу. Сошлись на том, что я пойду с Ломом, народу много, в толпе меня не заметят. «Как же, не заметят меня, дождешься».

Я вышла из ресторана, коленки тряслись, голова кружилась. Димка женится, не видать мне его. Будет возле жены сидеть, он из таких, чокнутых. Я поехала к Таньке, на кухне Вовка тосковал со стаканом чая.

— Вова, у Димки свадьба? — спросила я.

— Да. Говорить не велел.

— Ты пойдешь?

— Я ж свидетель, пойду.

— Вова, привези мне завтра Димку, слышишь?

— Не пойдет он, не захочет. Я про тебя спрашивал, говорит, все.

— Вова, мне только увидеть его... Привези!

— Да я что. Не пойдет он...

Я перед Вовкой на колени бухнулась:

— Приведи Димку, век должна буду.

— Лад, ты что, встань. Я попробую...

Танька рядом причитала:

— Ладка, не суйся, хрен с ним, пусть со студеночкой трахается, надоест она ему в пять минут. Натворишь дел, ох, чует мое сердце...

На следующий день я в Вовкиной квартире металась, как зверь в клетке. Ждала Димку. Вовкина мать была на даче, Вовка меня привез и за другом уехал. Я ждала, руки ломала. Услышала, как дверь хлопнула, потом Димкин голос. Я вышла, он меня увидел, в лице переменился, Вовка потоптался и сказал:

— Ну, это, пошел я, — и исчез за дверью, а Димка мне:

— Зря ты, Лада, ни к чему...

Хотел уйти, а я в рев и в ноги ему.

— Димочка, подожди, прошу тебя. Пять минут. — Он стоит, на меня не смотрит, а я реву еще больше. — Димочка, я ведь знаю, женишься, ты ко мне не придешь. Простимся по-хорошему, ведь на всю жизнь прощаемся. Люблю я тебя, Дима, пожалей меня...

Я ему руки целовала, а он губы кусал, попросил жалобно:

— Лада, пожалуйста, не надо. Тяжело мне.

— Димочка, последний раз, последний раз...

Он хотел меня поднять, а я ему в шею вцепилась, потянула за собой на пол, торопливо целуя.

— Возьми меня, — попросила, срывая одежду.

Куда мужику деваться?

Обоих трясло, лежали обнявшись, я глаза открыть боялась. Димка меня поцеловал и шепнул тихо:

— Пошли в Вовкину комнату.

Время пролетело, я и в себя не успела прийти.

— Уходить мне надо, — тихо сказал Димка, я обхватила его за плечи и попросила:

— Еще полчасика, и пойдешь.

Часы пробили одиннадцать. Тут уж я сама ему сказала:

— Иди, Дима, поздно, — отвернулась, слезы глотаю. Он ко мне прижался:

— Лада, уйду в двенадцать.

Не ушел. Только в четыре утра поднялся, стал одеваться.

— Ты ее не любишь, — сказала я, сидя в постели. — Зачем жизнь себе и мне калечишь? Ты меня любишь.

— Люблю, — вздохнул он. — Только теперь не переиграешь.

А я на нем повисла, зашептала жарко:

— Давай уедем вдвоем, слышишь?

— Господи, Лада, сегодня ж свадьба, гостей до черта. И Светка.

— Что Светка? Ее тебе жалко, а меня нет? Неужели жизнь свою погубишь, для того чтобы какие-то балбесы на твоей свадьбе напились, наелись? Уедем, Дима, на юг, пусть тут без нас разбираются. Вернемся через месяц, все поутихнет. Вместе жить будем.

— Лада, — Димка встал на колени, в плечи мои вцепился, — поклянись, что отца бросишь.

— Брошу, Димочка, — торопливо закивала я, — брошу, с мужем разведусь, ребенка тебе рожу, все сделаю, что захочешь, только поехали.

— Едем, — сказал он. — Машина под окном.

— К Таньке надо, денег занять.

Танька поначалу обалдела, принялась орать, но быстро выдохлась и рукой махнула, дала денег. Я изловчилась и мужу позвонила, так чтобы Димка не слышал. Не помню, что ему плела. Валерка первый раз в жизни на меня наорал, а я трубку бросила.

На юге мы пробыли почти месяц, Танька присылала деньги. Жили как в сказке. Только все равно пришлось возвращаться. Приехали вечером.

— Домой надо, — сказал Димка. — Сейчас начнется. Завтра увидимся?

— Конечно.

— Где?

— На квартире.

3*

Простились, и я поехала к Таньке.

— Как тут? — спросила.

— Пожар в джунглях, — затараторила она. — Че было... Аркаша чуть умом не тронулся, гостей назвал, а женишка-то нет. Ух и матерился, и мне досталось. Потом прибегал, чтоб пригрела, ну, я его по старой памяти осчастливила. Жаловался: «Ладка, стерва, меня бросила и сына увела». А Лом чего выделывал... Ты, душа моя, случаем с ним не трахнулась?

— Сдурела? — первый раз в жизни соврала я Таньке.

— Такой концерт устроил, всех из кабака разогнал, сколько челюстей сломанных, не рассказать. Потом нагнали баб табун и загуляли: он, Пашка, Святов и Лешка Моисеев. Три дня гудели, никто сунуться не смел. Потом пропал, неделю не показывался и на Аркашу наорал: говорит, придушу твоего щенка. Если ты ему свои прелести не засветила, с чего б ему так беситься?

— Засветила, Танька, — покаялась я.

— Вот дура, говорила: не связывайся. Подлюга ведь. Ну, теперь он тебя достанет, и Димку твоего...

— А сейчас-то как?

— Да не бойся. Успокоились. Сколько шуметь-то можно? Аркаша на днях сказал: уж хоть бы вернулись.

— Ну и слава богу, — вздохнула я.

От сердца отлегло. Вот только Лом... но и с этим как-нибудь справлюсь.

Аркаша у меня появился с утра, я сначала испугалась, но он прямо с порога сказал:

— Не бойся, не скандалить.

Сели на кухне, я всплакнула на всякий случай. Аркаша вздохнул тяжело.

— Ну, чего тебе не хватало? — спросил тихо.

— Прости ты меня, — попросила я. — Люблю я Димку. Отпусти ты нас по-хорошему.

Аркаша поерзал, на меня покосился.

— Ах, Ладушка, надоест ведь он тебе, бросишь... Жалко парня.

— Я за него замуж пойду.

Тут Аркаша подпрыгнул.

— Замуж? Да на кой черт он тебе? Думаешь, я вас кормить буду? Не дождешься.

— И не надо, — фыркнула я. Он подумал, грудь почесал.

— Ладуль, давай по-доброму. Поживите годок как есть, в любовниках. Если ты его за это время не погонишь, так и быть, женитесь, свадьбу сыграем. И весь этот год деньги будешь получать, как раньше. Идет? Ну чего торопиться-то, не пожар. Мало ли что. Может, ко мне вернешься, ведь люблю я тебя. И с Валеркой пока не разводись, слышишь? Где еще такого мужа найдешь. Не пори горячку, прошу.

Я для видимости немного поотнекивалась и согласилась.

Валерка со мной недели две не разговаривал, спал в гостиной, злющий как черт. Потом подобрел, в спальню вернулся, видно, деньги кончились. При первой же встрече Димка на меня накинулся:

— Лада, ты же обещала...

— Отцу твоему слово дала, чтоб отстал, не верит он, что у нас серьезно. Давай, Дим, по-хорошему с отцом. Мой муж нам не мешает, не живу я с ним. Видеться будем каждый день, год пройдет, оглянуться не успеем, и мама твоя за это время со свадьбой смирится.

Уговаривать его пришлось долго, но в конце концов он согласился, и стали мы жить как раньше. Мутно, зыбко. Я в конторе не появляюсь, Лома боюсь. Димка меня пасет, шагу одна не сделаешь, вопросами замучил: где, с кем, когда придешь. Не Валерочка. Как-то вечером Аркаша пожаловал, а Димка его не пускает.

— Сынок, мне с Ладой посоветоваться надо.

Сел с нами на кухне, ни на минуту не оставил. Аркаша только головой качал.

В середине августа как-то вечером пришла Танька.

— Муж где? — спросила с порога.

— В театре.

— А ты чего дома?

— У Димки дела. Послезавтра встречаемся.

Танька за стол села, от чая отказалась, смотрит как-то чудно. Я терпела, ждала, когда ее прорвет.

— Мой-то вчера пьяненький пришел, еще стакан хватил, болтать начал. Знаешь, кто завтра курьером поедет? Димка твой.

Танька меня за руку схватила, в глаза уставилась.

— Ладка, прикинь, сколько он повезет.

Я руку выдернула.

— Ты что, сдурела?

— Ладка, ты подумай, деньги-то какие, нам с тобой на всю жизнь хватит. Подумай, с такими деньгами, да распорядясь ими с умом, жить можно в свое удовольствие. И рожи эти бандитские никогда не видеть. По-умному отойдем года за два, чтоб в глаза не бросалось, слышишь, у меня и план есть.

— А Димка?

— Что, Димка? Не даст его папаша в обиду. Ну трудно ему будет, я ж не говорю, но ведь не убьют. Ты подумай.

— Танька, да если все сорвется, ты хоть представляешь, что с нами сделают?

— Представляю. Ты-то, может, как-нибудь и отмажешься, а мне каюк. Рискнем, Ладка. Ведь такие деньги, на всю жизнь.

— Вдруг Вовка догадается?

— Да не помнит он ни черта, что говорил, а и вспомнит, молчать будет. Башку-то за треп враз отвернут. Ну, решай.

— Говори, что за план, — сказала я.

— Хороший план, проще не бывает.

На следующий день я сидела в машине рядом с конторой. Наконец увидела, как Димка из ресторана вышел с большой сумкой. По виду тяжелой. Бросилась к нему.

— Димочка...

— Лада, — сказал он, обняв меня, — мне ехать нужно, через час мужики ждут, дело важное.

— Так через час, — я села к нему в машину, обняла и стала целовать.

— Лада, завтра, слышишь... — прошептал он.

— Димочка, мальчик мой, два дня не виделись, извелась вся. Поехали на полчасика к нам, успеешь...

К этому моменту я уже голову на его коленях пристроила.

— О, черт, поехали, — простонал он.

Оставили машину возле дома, сумку Димка взял с собой, я к нему прижималась, тряслась от нетерпения. Он оставил сумку в прихожей, я схватила его за руку, торопливо потянула к постели.

— Димочка.

Орала я под ним, словно меня резали, а сама прислушивалась. Димка на часы взглянул, поцеловал меня.

— Пора, Ладушка, опаздываю. До завтра, слышишь?

Торопливо оделся, а я в постели лежала, смотрела на него и улыбалась. Потом пошла провожать. В прихожей Димка хватился сумки, а ее нет.

— Лада, сумка где? — спросил он испуганно.

— Сумка? — удивилась я. — Не знаю. Ты ее из машины брал?

— Лада, я с сумкой был.

— Да здесь где-нибудь, поищем.

— Лада, — Димка вдруг побледнел, посмотрел на меня, а я стала по углам шарить.

— Давай в машине проверим, — предложила я, — может, там оставил?

— Нет.

— Да что ты из-за нее так расстраиваешься, куплю я тебе сумку, чего ты?

Димка пошатнулся, глазами повел и пошел к двери.

— До завтра, — зашептала я и на его шее повисла.

— До завтра, — пошевелил он белыми губами и ушел.

Вечером мы сидели с Танькой на кухне, от страха у меня зуб на зуб не попадал.

— Догадается Аркаша. План твой дурацкий...

— Дурацкий, а сработал. Отовремся, не бойсь. Ты под Димкой лежала, сумку спрятать не могла. А кто в квартиру входил, неизвестно. И был ли кто, и была ли сумка. Стоим насмерть.

Услышав звонок в дверь, я в стол вцепилась, Танька полоснула меня взглядом:

— Смотри, Ладка, — и пошла открывать.

В кухню влетел Аркаша.

— Димка где? — рявкнул зло.

— Нет его, — ответила я, — завтра быть обещал. А чего?

— Чего? Или не знаешь?

— Не знаю, — нахмурилась я, чувствуя, как бледнею. — Аркаша, что с Димкой, говори.

— Стервец, мать его, курьером послал, с деньгами... Ни его, ни денег, как в воду канул...

Я за сердце схватилась.

— Аркаша, Димка не вор, что-то случилось...

Аркаша бухнулся на стул.

— Не дурак, понял. Ох, господи.

— Да жив ли он? — ахнула я.

— Не каркай, — вскинулся Аркаша. — Жив, не жив, за такие деньги и его и меня зарежут. Удружил сынок.

— Боже мой, — слезы по моему лицу катятся, зубы стучат, — да что ж ты сидишь-то? Димку спасать надо, деньги собирать. Попроси отсрочку, слышишь? Заплатим с процентами, пусть подождут. Аркаша, делать что-то надо. Машину, квартиру продавать, помоги, слышишь? Без всего останусь, а деньги соберу. Танька, поможешь?

— Да что ж я, зверь, что ли? Помогу. Соберем. Да ты что сидишь? — накинулась она на Аркашу. — Двигаться надо, выручать парня.

— Убить бы его надо, — тяжко вздохнул тот.

— Что болтаешь, что болтаешь? — заорала Танька. — Убить. И убьют, если пнем сидеть будешь. Соберем деньги, заплатим, потом разберемся. И у меня на черный день есть.

— Танька, спасибо тебе, — еще больше заревела я. — Век помнить буду.

— Свои люди, сочтемся, — ответила она.

Ночью позвонил Димка, голос дрожал.

— Лада, плохи мои дела. Спрятаться надо.

— Димочка, — торопливо начала я, — все знаю, Аркаша был... Где ты? Я за тобой приеду.

Кинулась к нему со всех ног. Димка вышел ко мне, бледный, лицо отрешенное. В машину сел, я к нему прижалась, за руки схватила.

— Мальчик мой, не бойся, соберем деньги. Я тебя сейчас спрячу, ни одна живая душа не найдет.

— Лада, ты меня любишь? — спросил он, как-то странно глядя.

— Люблю, очень люблю, — заверила его я.

— Если уехать придется, поедешь со мной?

— Поеду, хоть на край света поеду. Не переживай, все сделаем, с отцом говорили, Танька поможет, соберем.

Ни машину, ни квартиру мне продавать не пришлось. Аркаша деньги нашел, обо всем договорился, в чем я ни минуты не сомневалась. Димку простили, с уговором, что он навсегда отойдет от дел. Оно и к лучшему. Аркаша через неделю ко мне приехал.

— Знаешь, где он? — спросил устало.

— Знаю.

— Пусть возвращается.

— Аркаша, — запела я, кинулась ему на шею, он меня по заднице погладил.

— Эх, Ладка. Ну на что он тебе? Оставил отца без штанов. Я теперь весь в долгах... Сколько ж надо горбиться, чтобы все вернуть.

— Аркаша, — грозно сказала я, — не греши, сын он тебе. Сын, а деньги — тьфу, наживешь. И не прибедняйся. Тебя потрясти, много чего интересного вытрясешь.

— Что хоть случилось-то? — минут через пять спросил он.

— У него спрашивай. Я не знаю. Не до расспросов было, парень едва живой.

В тот же день я съездила за Димкой. Он пошел домой мать успокоить, ну и, само собой, от отца нагоняй получить. Через неделю опять на станцию техобслуживания устроился, и все помаленьку утряслось.

— Ты чего отцу соврал? — как-то спросила я.

— О чем?

— О сумке.

— Я правду сказал: потерял. Так и было.

— Вот я и спрашиваю, зачем соврал, почему не сказал, что у меня в тот день был?

— Тебя-то зачем во все это впутывать? Ни к чему.

— Где же эта сумка? — удивилась я.

Димка посмотрел как-то туманно, пожал плечами.

— Не знаю.

Аркаша деньги давать перестал, сославшись на долги. Димкин заработок был смехотворным. Ворованные деньги мы с Танькой разделили, но трогать опасались. Жить на зарплату было невесело. Димка все на меня поглядывал, задумчивый какой-то стал.

— Лада, плохо тебе со мной?

— Дурачок, мне с тобой так хорошо, что словами не скажешь.

— Может, мне другую работу подыскать?

— Замолчи, все у нас есть, проживем.

Тут я, конечно, лукавила. Без денег было туго, и вообще жизнь не радовала. Разумеется, Димку я любила, но находиться под чьим-то неусыпным контролем двадцать четыре часа в сутки утомительно. К тебе приглядываются, присматриваются, а ты чувствуешь себя едва ли не преступницей. В общем, отсутствие доверия больно ранило мою душу.

Танька проявила понятливость. Уселась на диване, уставилась в угол, потосковала, сказала с тяжким вздохом:

— Да. Невесело.

— Куда уж веселее, — разозлилась я, садясь рядом.

— Обидно, — кивнула подружка, — баксов черт-те сколько, а ведь не попользуешься...

— Молчи уж лучше.

— На меня-то чего злиться? — Танька опять вздохнула. — Что, Аркашка денег не дает?

— Не дает. Говорит, сынок по миру пустил.

— Врет.

— Конечно.

— Это он тебя выдерживает, мол, затоскует Ладушка без денег и ко мне вернется.

— Еще чего... Я Димку люблю.

— Да я знаю, знаю... А я вчера у Петрушина на даче была. У художника. Я тебе про него рассказывала?

— Рассказывала, — проворчала я.

— Уехал он в Германию...

— Скатертью дорога...

— А дачу, значит, мне оставил. То есть на время, конечно, покуда не вернется. Присматривать... ну и попользоваться...

— У тебя что, дачи нет?

— Такой, может, и нет. В подвале за шкафом стена отодвигается, веришь? И там помещение, большое. А из него еще ход, подземный. Метров пять, выходишь за огородом. Скажи — класс?

— Глупость какая, — покачала я головой. — Подземный ход дурацкий, на что он тебе?

— Ну... — туманно как-то сказала Танька. — Интересно. Дом старый. Вадим, то есть художник-то, говорит, что здесь молельня была, какие-то сектанты собирались, вот и нарыли. Врет, поди... А все равно занятно... Хочешь взглянуть?

— Не хочу, — хмуро ответила я.

— Настроение плохое, — кивнула Танька, — я понимаю. Аркашка подлец, и, по справедливости, его бы наказать надо.

— Надо, — усмехнулась я.

— Для Аркашки самое большое наказание — бабок лишиться.

— Лишился он бабок, и что? Нам-то от этого радости мало, коли даже попользоваться не можем.

— Моральное удовлетворение, — пожала Танька плечами. — Опять же, время придет — попользуемся.

Я подозрительно покосилась на нее. Танька помолчала немного, мечтательно глядя в угол, и сказала:

— Я как этот подвал увидела, так всю ночь не спала. Все думала, до чего ж место идеальное.

— О господи, — вздохнула я. — Для чего идеальное, картошку хранить?

— Не-а. Вот, к примеру, мы бы решили кого-нибудь похитить с целью выкупа. Лучшего места, где человека держать, просто не придумаешь. Искать будут, не найдут.

— И кого ты похищать собралась? — усмехнулась я. — Аркашу?

— Да кто ж за него копейку даст, только перекрестятся... — Танька малость помолчала, а потом заявила, глядя на меня с ласковой улыбкой: — Вот ежели бы тебя украли, помилуй нас, господи, то папуля, как ни крути, раскошелится. Не может он забыть твоих прелестей, тоскует...

Я кашлянула и сказала недоверчиво:

— Чего ты городишь? Кто меня украдет, и на кой черт?

— А мы и украдем, то есть похитим. С целью выкупа. У меня и план есть.

— Ты, Танька, дура, прости господи. Да нам башку оторвут.

— Ну, по сию пору не оторвали, может, и доживем до старости... Скучно, Ладушка, и подлеца Аркашку наказать бы стоило...

— Танька, — укоризненно сказала я, — похищение с целью выкупа — самое опасное преступление. В том смысле, что на каждом этапе завалиться проще простого...

— Так мы ж не дуры какие... Прикинь. Ты отбываешь на дачу и сидишь там тихохонько. Ночью вполне можешь на улицу выйти, воздухом подышать. Замок на двери висеть будет, а ты потайным ходом. А днем в подвале посидишь, наберешь книжек побольше. Ты ж читать любишь...

— Да не в этом дело, — поморщилась я. — Требование о выкупе как-то надо передать. Твой голос узнают, а брать в дело третьего — опасно.

— А и не надо никакого третьего. Письмецо напишем старым анонимным способом: вырежем буковки из газетки и на бумажку наклеим. Ты, кстати, и займешься, делать тебе в подвале все равно нечего.

— Глупость несусветная... Ну ладно. Допустим, письмо составили, и Аркаша заплатить решил. Деньги надо как-то получить. Аркаша за копейку удавится. Значит, за деньгами приглядывать будут, и мы, две умницы, сгорим во время передачи.

— Еще чего, — фыркнула Танька, — может, Аркаша и не дурак, но и мы не вчера на свет родились. Поставим условие, что деньги передаю я.

— Допустим. Но за тобой следить будут.

— А мне что? Лишь бы им в радость. К нашей помойке мусорка подъезжает ровно в восемь.

— Чего? — не поняла я.

— Мусороуборочная машина, — терпеливо пояснила Танька. — Никогда таких не видела? Далее она следует по проспекту до пересечения с улицей Погодина. Там прихватывает последние контейнеры. Я сегодня за ней покаталась. На Погодина она приезжает где-то в 9.45. Улавливаешь?

— На что тебе мусор? — запечалилась я. — Чем у тебя вообще голова забита?

— Ладно, ты без денег нервничаешь, оттого туго соображаешь. В письме напишем, чтоб деньги упаковали в кейс, который, само собой, повезу я. Кейс надо оставить в контейнере на улице Погодина, где-то в 9.40. Подъезжает мусорка, контейнер забирает и далее следует на свалку. Мальчики Аркаши следуют туда же. Если и смогут кейс найти, то, само собой, уже пустой. Пусть голову ломают, куда и как деньги по дороге ушли. Кстати, сегодня шофер с этой самой мусорки завтракать заезжал, в кафешку на Савельевской. Народу там всегда тьма, машины впритык стоят. Жует дядька не торопясь, где-то с полчаса. Аркашины мальчики потоскуют, к тому же со стороны все это выглядит подозрительным. Когда и в какой момент деньги из-под носа увели, сообразить будет трудно.

Я засмеялась.

— Так... Ты, конечно, прихватишь второй кейс. Пустой выбросишь в контейнер, а с денежками спокойно махнешь домой?

— Конечно.

— А если проследят? — напомнила я.

— Но не до двери квартиры. У меня соседка в отпуск уехала, ключ от своего жилища мне оставила. Зайду к ней, оставлю деньги, пусть полежат маленько...

— Кейс у тебя в руках заметят, — нахмурилась я.

— Повешу мешок на шею, плащ надену, белый, трапецией. По дороге деньги из кейса придется быстренько в мешок переложить. Купюры надо требовать крупные, чтоб долго не возиться. Парни близко подкатить не рискнут, так что при известной ловкости провернуть это нетрудно...

— Они могут проверить кейс после того, как ты бросишь его в контейнер, — сказала я.

— Вряд ли, опасно.

— Его может увидеть шофер мусорки.

— Рискнём. Хотя контейнером он особо не интересуется.

— А если Аркаша заявит в милицию?

— Это тоже вряд ли... Врагов у него полно, он гадать начнёт, кто из них ему свинью подложил.

— Он может не дать ни копейки... — нахмурилась я.

— Как же... слабо старичку. Любовь, она дорогого стоит, а последняя и вовсе бесценна. Раскошелится.

— А я что рассказывать должна?

— Шла по улице, подскочили двое, затолкали в машину, глаза завязали, куда-то привезли. Держали вроде бы в подвале, еду приносили, когда свет выключали, на пол ставили. Потом в масках вошли, опять глаза завязали, вывели и в машине повезли куда-то. Велели до ста сосчитать. Повязку сняла, сижу на скамейке в парке Пушкина. Времени продумать всякие детали у тебя будет сколько угодно. Ну?

— Исключать милицию нельзя, — покачала я головой.

— Аркаша будет держать меня в курсе. Перепугается, гад, наболевшим начнёт делиться.

— Засыпаться — раз плюнуть.

— Рискнём, — хмыкнула Танька. — В случае чего скажешь, что пошутила. Приласкаешь папулю, никуда не денется, простит.

— Меня — возможно, но не тебя.

— Моя идея — мой риск.

— Когда-нибудь мы доиграемся, — вздохнула я.

— Дуракам везет, — хохотнула Танька.

— Как ты мне сообщишь, что на скамейке в парке пора объявиться?

— На даче телефон есть. Позвоню. Ты сядешь на автобус и приедешь. Не зря говорят: все гениальное просто.

Мы посмотрели друг на друга сначала усмехаясь, потом растянули губы шире, а после и вовсе принялись хохотать.

— Ну? — хмыкнула Танька.

— Заметано, — ответила я.

На следующее утро муж отправился на репетицию, Димка трудился, а я за газетами сходила. Приехала Танька, и мы взялись за работу. Письмо получилось лаконичным и устрашающим. Танька сумму проставила, я нахмурилась, а она от широты души хлопнула еще один нолик.

— Ну и аппетиты у тебя, — покачала я головой.

— Рисковать, так по-крупному. Есть такие деньги у папули?

— Есть, — кивнула я. — У папули много чего есть, вопрос только — захочет ли он раскошелиться?

— А куда ему деваться...

Следы своего трудового подвига мы тщательно уничтожили.

— Ну вот, — почесала Танька за ухом, — письмо подброшу, и завертится машина.

Меня стали одолевать сомнения.

— Танька, может, подождем с твоим планом? Не ко времени сейчас. У Аркаши с Ленчиком нелады. Пожалуй, не до меня папуле...

— Не дергайся. Решили, значит, нечего тянуть. Ленчик сам по себе, а у нас время — деньги.

— Меня муж на работу отвозит, а Димка встречает. Когда меня, по-твоему, «похитить» могут?

— У тебя завтра «окно» в занятиях есть?

— Завтра среда? Есть.

— Вот и сходи в магазин...

День выдался пасмурным, настроения с самого утра никакого. Я чертыхнулась, глядя в зеркало, и Таньку помянула недобрым словом. Ох, и вляпаемся мы с ее гениальными планами... Не сносить нам головы... Но в одном она права: затеяли дело, так надобно его до конца доводить... Валерка в ванную заглянул, спросил хмуро:

— Ты готова?

Последнее время виделись мы редко, а говорили и того меньше. Покидать он меня не спешил, но злился и копил обиду.

— Готова, — ответила я, думая о своем.

— Тогда поехали. Я сегодня вечером задержусь, — сказал он уже в машине. — Твой мальчик тебя встретит?

— Конечно. А ты к своей «бабушке» поедешь? — съязвила я. Валерка глаза выпучил, но промолчал. Да, настроение сегодня ни к черту, и мужа я зря дразню. Какой-никакой, а все-таки муж, и следует соблюдать приличия. Мы подъехали к школе.

— Спасибо, — кивнула я, стараясь быть поласковее.

— Пока, — ответил он, помолчал немного и вдруг спросил: — Ладка, как мы докатились до всего этого?

Отвечать я не стала, хлопнула дверью и ушла.

Из школы позвонила Таньке на работу. Поздоровавшись, она лихо поинтересовалась:

— Ну что? Приступим?

— Приступим, — вздохнула я.

— Не слышу боевого задора.

— Да пошла ты к черту...

— Все там будем... Адрес помнишь, где ключ спрятан, знаешь. Жратвы на целую роту, книг — библиотека, на любой вкус. До половины шестого я в своем кабинете.

Мы простились, и я трубку повесила.

«Окно» у меня с часу до половины третьего. В учительской я возвестила всем желающим услышать, что иду в магазин, накрапывал дождь, и составить мне компанию никто не решился.

Я вышла из школы, раскрыла зонт и направилась к остановке. Дача художника Петрушина, давнего Танькиного приятеля, бездаря и алкоголика, располагалась практически в черте города, в полутора километрах от объездной дороги, в деревне Песково. Добраться туда можно было автобусом, но делать это я поостереглась: не ровен час встретишь знакомых. Потому на троллейбусе доехала до конечной, а к деревне пешком отправилась, напрямую через лесок, аэродром и озеро без названия, по крайней мере, мне оно не было известно.

Дождь понемногу расходился, идти было сыро и грязно, но я не торопилась и шла осторожно, потому как в подвале сидеть радость небольшая, а здесь хоть и дождь, но все-таки свежий воздух и стены не давят.

Деревню я прошла задами, ориентируясь на высоченную черепичную крышу. Нужный мне дом с другим не спутаешь. Отыскав калитку в заборе, я садом пробралась к задней двери дома, пошарила под крыльцом и обнаружила ключ.

Танька подготовилась к моему заточению на славу. В подвале стояли кушетка, стол и плетеная мебель. Подруга даже обогреватель припасла, помня о том, что я зябкая и холода не выношу. За ширмой помещался импровизированный туалет. Я огляделась с довольной усмешкой. Права подружка, место — класс. Вход в подвал находился в столярной мастерской и был замаскирован шкафом. Не знаю, кому этот подвал понадобился, возможно, и в самом деле каким-нибудь сектантам, но в изобретательности им не откажешь.

Я поднялась в дом, немного побродила

по комнатам, устроив себе что-то вроде экскурсии, и вернулась в подвал. Даже если каким-то образом Аркаша и выйдет на этот дом, обнаружить вход в подвал ему не удастся. Это меня воодушевило, и я принялась готовить себе обед.

Заточение в подвале, пусть и добровольное, мне очень скоро надоело, тут не помогали и книги. Я несколько раз поднималась наверх и разглядывала телефон. Очень хотелось позвонить Таньке и узнать, что там с ее гениальным планом. Но ей бы это вряд ли понравилось, а потому, поскучав немного, я возвращалась в подвал.

Через три дня мне стало казаться, что я здесь нахожусь уже целую вечность. Да, быть похищенной совсем не весело. Я скучала по Димке и впервые подумала: «Каково ему сейчас?» Но Димка полбеды, а вот как там Танька?

Она позвонила в субботу, около двенадцати. Звонок прогремел в пустом доме как иерихонская труба. Я была в ванной и, заслышав его, кинулась в чем мать родила в холл. Но по дороге опомнилась и стала терпеливо ждать. После четвертого звонка телефон стих. Я вернулась в ванную, выключила воду, накинула халат художника Петрушина и вернулась в холл. Телефон, как и положено, ожил через пять минут. Четыре звонка. Я села в кресло и уставилась на него. Еще через пять минут, лишь только сигнал прозвучал, сняла трубку. Танька захлебывалась от счастья.

— Ладка, сработало, век свободы не видать... Баксы у соседки в газовой плите, в духовке то есть. Ключ от квартиры я на всякий случай в почтовый ящик бросила, к нему мой ключ подходит.

— Заткнись, — перебила я радостное повизгивание. — Как Аркаша?

— Гневался. Ребятки, натурально, следили. Думаю, сейчас двигают к свалке на двух «БМВ», то есть по всем правилам ведут наблюдение. Пора тебе в парке объявиться...

— Танька... — поеживаясь, начала я, но она меня перебила:

— Хорош канючить, победе радоваться надо. Кати в город, но осторожность соблюдай: раньше времени тебя найти не должны.

Она повесила трубку, а я стала торопливо собираться. Мне не терпелось покинуть дачу, хоть и было страшновато. Аркаша не дурак и все наши хитроумные замыслы вполне мог разгадать. Что последует за этим — предугадать нетрудно. Особого оптимизма такие мысли не внушали. Но Танька права: волков бояться — в лес не ходить.

Песково я опять-таки покинула пешком, через сад, задами вышла на объездную дорогу и остановила машину. Погода, кстати, была солнечной, плащ мне пришлось держать в руках. Я села в потрепанные «Жигули», и лысый дядька отвез меня в город на улицу Мира, отсюда до парка Пушкина три остановки троллейбусом. Собственно, в парке мне делать было нечего, но план есть план, и менять его не стоило.

Я посидела на скамейке минут десять, поглядывая на редких прохожих, и вернулась к остановке, где заприметила телефон.

Аркаша был в конторе, трубку снял сам.

— Аркаша, — сказала я и заревела с перепугу, потому что гениальный там замысел или нет, а голов-то мы вполне могли лишиться.

— Ладушка? — ахнул мой друг бесценный. — Жива? Где ты?

Не уловив в интонации ничего подозрительного, я шмыгнула носом и сказала:

— Господи, дай сообразить, голова кругом... Я возле парка Пушкина, на остановке... Они меня в парке оставили... велели в повязке сидеть... Аркашенька... — Я зарыдала еще громче, а он забеспокоился:

— Ладуль, радость моя, не плачь... Жива-здорова, и слава богу, потом разберемся... Я сейчас пошлю кого-нибудь... Жди. Сам бы поехал, да веришь ли: сердце прихватило, не могу подняться.

— Я приеду, Аркашенька, возьму такси и в контору, — запела я.

— Нет, подожди пару минут, ребят пошлю...

Я еще раз всхлипнула и повесила трубку. Если старый змей не прикидывается, наша проделка сошла с рук... Радоваться раньше времени штука опасная, и потому до встречи с Аркашей я решила с восторгами повременить и паслась неподалеку от остановки с постным выражением лица, выжидая, кто из ребят подъедет. Только бы не Лом. Видеться с ним мне совершенно не хотелось, а после такого дела и вовсе ни к чему. Начнет вопросы задавать, да все с ехидством, и неизвестно, что из этого выйдет. С Аркашей проще, поплачу, расскажу историю. Тем более что и рассказывать особенно нечего. Глаза завязали, в машину посадили, в парк привезли... В этот момент кто-то налетел на меня сзади, перед глазами мелькнула ладонь с выколотым на ней якорем и стиснула мне рот. Я слабо охнула, колени подогнулись, и я вознамерилась осесть на асфальт. Но сделать мне этого не позволили: кто-то очень решительно подталкивал меня сзади. Так и не успев понять, что происходит, я через несколько секунд оказалась на заднем сиденье машины в компании четверых здоровячков. «Господи Иисусе, — мелькнуло в голове, — неужто старый змей по телефону притворялся, хитрости наши давно раскусив?» Мне стало нехорошо, я тяжко вздохнула и слабо пошевелилась, разглядывая парней в машине. Никого из них я раньше не видела, и меня это насторожило. Тут тип, сидевший впереди, повернулся ко мне, а я глухо простонала: вот его-то увидеть я вовсе не ожидала. Сердце у меня куда-то подевалось, я замерла, испуганно глядя на дорогу, боясь пошевелиться и обеспокоить здоровячка справа. Ехали молча, но мне и без разговоров было ясно, к кому угораздила меня нелегкая попасть в руки. Впереди сидел псих по кличке Мясо, и служил он у Ленчика палачом. Мне довелось увидеть его лишь однажды, но впечатление он произвел сильное. Репутация у парня была такая, что, увидев, забыть его трудно. Я разом вспомнила все рассказы о его подвигах и захотела упасть в обморок... Боже ты мой...

Я попыталась сообразить, что мы должны Ленчику... Много чего. Он, конечно, очень сердит, и на ласковый прием рассчитывать не приходится. С Танькой мы изрядно потрясли Аркашу, весьма некстати, надо сказать. Еще вопрос, захочет ли он что-то для меня сделать. Если я и смогла сохранить кое-какие остатки оптимизма до этой минуты, то сейчас они исчезли безвозвратно.

Между тем мы затормозили возле облезлой девятиэтажки.

— Ну вот и приехали, Ладушка, — ласково сказал Мясо, которого по-настоящему вроде бы звали Сашкой, и плотоядно мне улыбнулся: — Выходи.

— Подожди секунду, — попросила я. — Дай отдышаться.

— Ты, Ладушка, не мудри и меня не волнуй. Пойдем, маленькая, прогуляемся.

«Чтоб ты сдох», — хотелось сказать мне, но открывать рот я поостереглась и поплелась к подъезду следом за ним. Двое парней увязались с нами, а еще один, тот, что сидел за рулем, отбыл восвояси. Мы поднялись в лифте на пятый этаж. Я смотрела в стену перед собой, боясь пошевелиться. Парни выглядели довольными, а про Мясо и говорить нечего. Он взирал на меня, прицениваясь, и уже слюну пускал. Если Аркаша не пошевелится, завидовать мне не придет в голову даже идиоту.

Мясо открыл дверь, и мы вошли в трехкомнатную квартиру. Я затравленно огляделась. Квартира явно нежилая. Это плохо. С другой стороны, приниматься за меня сразу и всерьез они не должны, значит, кое-какой шанс все же есть. Так, не шанс даже, а шансик. Ленчик отсутствовал, и меня это не порадовало.

— Проходи, Ладушка, — пропел Мясо, скаля золотые зубы. Работа у него нервная, тяжелая, и своих он давно лишился.

Я оказалась в совершенно пустой комнате, правда, с балконом, сейчас он был закрыт, а жаль, могла бы заорать «караул», глядишь, кто-нибудь да услышит... Мясо меня за плечи обнял и под подол полез.

— Убери руки, гад, — сказала я, — не то нажалуюсь.

— Кому, Ладушка? — улыбнулся он и легонько меня ударил по лицу. Я отлетела в угол и ненадолго затихла. Потрясла головой, встала и поинтересовалась с улыбкой:

— Тебя никак в чинах повысили? Неужто Ленчик помер и теперь ты командир? — Парни замерли в дверях и с любопытством пялились на нас. — Правда ты, а, Мясо? И Ленчик больше не у дел?

— Ох, Ладушка, — покачал он головой, — храбришься? Валяй-валяй... Я подожду, я терпеливый.

— Воды принеси, пить хочу. И стул. На полу сидеть неудобно.

— Принесу, красавица моя, все принесу.

Парни продолжали ухмыляться, а Мясо вышел из комнаты. Вернулся со стулом в одной руке и стаканом в другой. Стул поставил к стене, а стакан протянул мне, пакостно улыбаясь. Великим психологом быть без надобности, чтобы понять, что он сейчас сделает, а потому дожидаться я не стала, улыбнулась в ответ и стакан из его лапы выбила. Он хмыкнул, лицо вытер и посмотрел на меня так, что кишки свело.

— Ты, зверюга, на себя много не бери, — ласково сказала я. — Утихомирься и жди своей очереди. И я подожду.

Я на стул села, скрестив руки на груди, и на стену уставилась. Плохи дела, ох как плохи... Мясо и себе стул принес, сел напротив и молча пялился на меня. С улыбкой, головка набок, и взгляд мутный. От одного этого впору завыть в голос, а тут еще парни острить принялись. Не выдержу, разревусь, тут и конец мне... Хотя, может, и так конец, просто я об этом еще не знаю...

Время шло страшно медленно. Ноги затекли, а голову разламывало от боли. Но время я не торопила — ни к чему. А ну как впереди ничего хорошего?

Вдруг зазвонил телефон, один из парней исчез в прихожей и через пару секунд позвал Мясо. Тот тяжело поднялся и вышел. Я прислушалась: отрывистые «да» и «нет» и ничего больше. Попробуй отгадай, хорошо это для меня или плохо?

Наконец он положил трубку и заглянул в комнату, в глазах легкая грусть.

— Уезжаю, Ладушка, — пропел, — но ты не горюй, это не надолго. Скоро свидимся, маленькая.

— Как получится, — усмехнулась я. — Наперед никогда не знаешь — может, свидимся, а может, и нет.

Он широко улыбнулся, сверкая всеми своими золотыми зубами; длинный нос, острая морда, как есть крыса, глазки сидят глубоко, но смотрят весело.

— Свидимся, — заверил он и удалился, чем очень меня порадовал.

Парни после его ухода почувствовали себя вольготней (не одну меня его крысиная морда в тоску вгоняла), прикатили два кресла, внесли журнальный стол и сели в карты играть, но больше пялились на меня. Я смотрела в стену перед собой и прикидывала: переживет Аркаша такой поворот событий или я осиротею? Сиротство будет недолгим, но болезненным.

Когда я всерьез решила наплевать на все последствия и упасть в обморок, чтоб не видеть, что творится вокруг меня, в дверь позвонили. Один из парней, его, кстати, звали Валеркой, пошел открывать. Так как движения в прихожей, судя по производимому шуму, было много, а разговоров мало, я поняла, что пожаловали большие люди, и точно — в комнате появился Савельев Леонид Павлович, или попросту Ленчик, хотя называть его так в глаза мало кто решался. Я предпочла обращаться к нему официально, хотя знакомы мы были уже года два и виделись хоть и не часто, но регулярно.

Ленчик вошел, взглянул на меня и ободряюще улыбнулся, как врач при виде безнадежного больного.

— Здравствуй, Лада, — сказал он приветливо, но без излишней фамильярности. Я кивнула и отвела взгляд; парни из комнаты сразу же убрались и закрыли за собой дверь. Ленчик сел на стул, посмотрел на меня, наклоняя головку то вправо, то влево, и, улыбнувшись, сказал:

— Повезло Аркаше, ей-богу...

Я удивленно голову вскинула.

— Ты ведь, Леонид Павлович, знаешь: с Аркашей мы расстались...

— Слышал... значит, не повезло?.. Чего в стену смотришь? Физиономию мою видеть не желаешь?

Я слабо улыбнулась.

— Напротив. Обрадовалась, что ты приехал. Уважил. «Шестерок» не жалую, а твой зверюга... как его там? И вовсе мне не по нраву.

— Чем не угодил? — в тон мне спросил Ленчик.

— Ударил меня, паршивец.

— Быдло, — усмехнулся Ленчик и пожал плечами.

— Оттого тебе и рада. Умному-то с дураками маетно.

— Отчего не спросишь, что с Аркашей не поделил?

— Зачем? — удивилась я. — Не мое это дело. Я в мужские игры не играю, скучно да и опасно.

— А я другое слышал...

— Люди многое болтают, не всему верить надо...

— Это точно, — кивнул он, — но Аркаше лучше уступить.

— Для меня, конечно, лучше, но решать ему.

— Неужто не боишься? — хохотнул он.

— Боюсь, не боюсь, Аркаша от этого покладистей не станет, и ты не отпустишь по доброте душевной. Так что мои эмоции не в счет.

— Что верно, то верно, — согласно кивнул Ленчик. — Сердит я на Аркашу. Думаю, пора ему малость потесниться.

— Ваши дела, — пожала я плечами. — Если не возражаешь, я в кресло сяду. Спина затекла.

Я поднялась, прошлась по комнате, даже у окна постояла, и в кресле устроилась. Ленчик, чуть веки прикрыв, за мной наблюдал и улыбался.

— Лада, — сказал с усмешкой, — твой дед случаем не княжеских кровей?

— Крестьянин Тверской губернии.

— В жизни бы не подумал. Королева, да

и только. Смотреть на тебя одно удовольствие.

— Наверное, — кивнула я, — Мясо то же самое говорит.

— Он глуповат, но уж точно не слепой...

Ленчик достал сигареты, мне предложил, мы закурили, поглядывая друг на друга. Слова Ленчика, конечно, ничего не значили. Радоваться жизни я по-прежнему не могла — не видела повода.

— Ты с Аркашкиным сыном живешь? — вдруг спросил он. Я посмотрела удивленно, потом кивнула.

— Живу.

— И как он к этому отнесся?

— Кто? Аркаша? Утопиться хотел, еле отговорила.

Ленчик засмеялся и тоже кивнул. Мужик он занятный и, в общем, мне всегда нравился. По возрасту Аркаше в сыновья годился, но тот его очень уважал и, подозреваю, побаивался. И правильно делал. С моей точки зрения, Ленчик был самой серьезной фигурой в городе, в определенных кругах, разумеется. Я пророчила ему большое будущее.

— Выпить хочешь? — спросил он и опять улыбнулся.

— Нет. Нервничаю, с утра голодная, боюсь с одной рюмки упасть.

— Морить тебя голодом я не собираюсь, а когда нервничаешь, выпивка на пользу. Расслабишься, повеселеешь.

— Не с чего, — вздохнула я.

— Аркаша рыпаться не станет, — убежденно сказал Ленчик. — Я бы не стал. — Тут он поднялся и вышел из комнаты, а там послал кого-то из своих мальчиков в ресторан.

Потом вернулся, устроился в кресле, посмотрел на меня так, что я краснеть начала, и повторил:

— Я бы не стал.

— Тебе лет сколько, двадцать семь? Аркаша на тридцать годков старше. Он мудрый, он знает: за деньги все купишь.

— Не ценишь ты себя, Ладушка, — покачал головой Ленчик.

— Аркаша на меня сердит за то, что бросила, за то, что с сыном его живу. Да и ты хоть и смотришь с улыбкой, а в случае чего отправишь меня дорогому другу частями и глазом не моргнешь. Так что ценить я себя ценю, но не переоцениваю.

— Правильно, — согласился Ленчик. — Я всегда считал тебя умной.

— Твое мнение для меня ценно, — серьезно кивнула я.

Вскоре вернулся парень, посланный в ресторан, быстро накрыл стол и исчез. Мы выпили, и я с аппетитом принялась за еду, Ленчик вилкой в салате ковырял и с удовольствием поглядывал на меня. Спросил неожиданно:

— Как думаешь, он согласится?

— Надеюсь, — подумав немного, ответила я. — В моем возрасте умереть обидно.

4*

— Не бери в голову, — улыбнулся он, протянул руку и коснулся моей ладони. Я поспешно ее отодвинула.

— Зачем сюда приехал? — спросила я с любопытством. — Неужели чтобы со мной поболтать?

Он засмеялся.

— Была одна мыслишка, теперь не в счет... А что, если нам с тобой подружиться, Ладушка?

— Может быть... завтра, но не сегодня. Дружат на равных, а сегодня я ничто. Налей-ка еще...

— Все-таки ты себя не ценишь...

— Это мы уже обсуждали. А свою жизнь я выторговывать не берусь: нет у меня ничего такого, что бы ты задарма взять не смог. Конец торговле.

— Баб насиловать не в моем вкусе...

— Значит, уроду своему кинешь...

— Больно жирно для него. За твое здоровье, Ладушка...

Мы выпили. Он опять мою руку сграбастал и сказал, заглядывая в глаза:

— Ты не бойся.

Мне это показалось занятным, я улыбнулась и ответила:

— Не сердись, но я и вправду не боюсь. Аркаша тебе много чего задолжал, я думаю, вы поторгуетесь и договоритесь. Зачем тебе меня убивать?

Кое-что я могла бы добавить, существенное, но Ленчик умный, а умных пугать не стоит: себе дороже. Он все понял правильно, руку отпустил, засмеялся весело так и даже кивнул пару раз.

— А знаешь, Ладушка, — сказал, когда смеяться ему надоело, — мы б с тобой и вправду подружились.

— А что нам мешает? Ты мне всегда нравился, — кивнула я, и, кстати, сказала правду.

Внешне Ленчик выглядел обыкновенно: и рост не бог весть какой, и лицо красой не блистало, но глаза живые и умные, а повадки змея-искусителя. Глядя на него, я иногда задумывалась — каким он должен быть любовником? Такое направление мыслей для меня необычно и само по себе говорило о многом.

Еще с полчаса мы, можно сказать, играли в молчанку: две-три фразы, пауза, зато взгляды были весьма красноречивы.

— Признаться, — вдруг засмеялся Ленчик, — я почти хочу, чтобы Аркаша отказался...

— Да? — подняла я брови. — Возможно, это было бы занятно, но экспериментировать я не люблю.

Не успела я договорить, как в прихожей что-то грохнуло, да так, что девятиэтажка вздрогнула и вроде бы даже вознамерилась рассыпаться, я взвизгнула и вжалась в кресло. Ленчик вскочил, сделал шаг к двери, но передумал и взглянул на меня, словно что-то прикидывая. Тут опять грохнуло, кто-то дико закричал, раздались выстрелы, а потом пошла матерщина, и среди всеобщего воя я узнала голос Лома. Ленчик извлек пистолет и шагнул ко мне. Я покачала головой и сказала с улыбкой:

— На балкон. Я запру за тобой дверь.

Шум и возня в прихожей понемногу стихали, но Лом все еще высказывался, то повышая голос, то переходя на ласковый шепот. Наконец пнул ногой дверь и появился в комнате, как видно, разделавшись со всеми своими врагами. Не виделись мы с ним давно, потому что я к этому не стремилась, но сейчас, похоже, подворачивался подходящий случай наладить отношения. Я вскочила и, выдав счастливую улыбку, мяукнула:

— Ломик...

— Здравствуй, Ладушка, — пропел он с какой-то пакостной интонацией и так на меня взглянул, что я сразу поняла: взаимопонимание отменяется.

— А меня здесь заперли, — на всякий случай сообщила я и добавила: — Как ты меня нашел?

— Повезло тебе, красавица моя. Святов видел, как тебя Мясо в машину запихивал, вот и проводил... Идем, Ладушка, заждался папуля, и щенок твой зубами клацает, так что треск по всему кабаку. — Он подхватил меня за локоть и вывел из комнаты, чему я не препятствовала.

В прихожей топтались парни, человек пять. Двоих я знала и молча кивнула им. Мы быстро покинули квартиру. Парни спускались по лестнице, а мы с Ломом в лифте.

Смотрел он на меня с усмешкой, глаза полыхали, и по всему было видно, что у него ко мне имеются большие претензии. Я прикидывала, что бы такое ему сказать приятное, и тут заметила, что Лом в своем лучшем костюме. В сочетании с автоматом, который он сейчас спрятал под широким плащом, наряд выглядел диковинно; конечно, белое кашне тоже присутствовало. Я усмехнулась и ласково спросила:

— Ты не в гости ли собрался?

— Очень я торопился, Ладушка. Как узнал, в чьи руки красавица моя попала, так и бросился к тебе без оглядки. Папуля сильно переживал...

— Папуля? А ты?

— А про меня и разговору нет. Я ведь с тобой еще не закончил дела. — Свое заявление Лом сопроводил улыбкой, которую я решила не принимать близко к сердцу. Да, дружбы с Ломом не получилось.

Аркаша выглядел неважно, может, не врал по обыкновению и сердце в самом деле прихватило?

— Ладушка, — проблеял он и полез целоваться.

— Димка где? — спросила я, шаря вокруг глазами. Аркаша вроде бы обиделся.

— Да где ж ему быть? Здесь... Мечется, точно зверь в клетке, в глазах от него рябит... Ты-то как, Ладушка? Бледненькая... Испугалась?

— Испугалась. Да где же Димка? — Отвечать на Аркашины вопросы желания у меня не было. Тут в кабинет влетел Димка, взглянул на меня дикими глазами и пошел навстречу точно пьяный.

— Лада...

Мы обнялись, я зарыдала, Аркаша нахмурился, а Лом подло усмехался. Немного успокоившись, я поведала о своих приключениях. Аркаша начал злиться, так как теперь, когда все кончилось, деньги жалел и скрыть этого не мог. Димку волновало только одно: мое самочувствие. Лома вроде бы ничего не волновало и не беспокоило, он томился на диване, россказни мои слушал вполуха и продолжал ухмыляться. Часа два гадали, кто ж меня мог похитить, перебрали всех, вплоть до Ленчика, что было совсем глупо. Ничего путного не надумали, а Лом пропел ласково:

— Отыщем... всплывут бабки, — и так на меня посмотрел, точно уже знал, где искать.

Я почувствовала себя неуверенно, волнение тоже сыграло свою роль, да и заточение в подвале, хоть и с обогревателем, свое дело сделало: голова у меня кружилась, лицо пылало. Я прилегла на диван в Аркашином кабинете, а подняться уже не было сил.

— Да ты горишь вся, — ахнул Димка.

Я и сама чувствовала, что-то со мной не то, и жар и озноб, неужто воспаление легких подхватила?

— Надо «Скорую», — засуетился Димка, но я категорически покачала головой:

— Нет. Отвези меня домой.

Димка начал протестовать и за десять минут вывел меня из терпения. Не выдержав, я прикрикнула на него. Он обиделся и стал мне выговаривать: где твой дом, и где мой, и когда он будет общим? Одним словом, нашел время... Мне стало обидно, я заплакала, Димка устыдился и доставил меня домой. По дороге молчал и все косился.

Муж был дома. Хоть брак наш давно уже стал не настоящим, нарушать приличия все-таки не стоило. Димка проводил меня до двери квартиры и ушел, а я позвонила. Валерка открыл дверь и ахнул:

— Ладка...

Как выяснилось, сообщить ему, что я жива и здорова, в суматохе забыли. Валерку мне стало жалко, а потом Димку и себя, конечно, тоже, затем пришла Аркашина очередь. Я опять заревела, сама не зная почему, и вроде бы задремала.

Из дремы меня вывел телефонный звонок.

— Тебя, — сказал Валерка.

— Кто?

— Не назвался.

— Принеси телефон, — попросила я, догадываясь, кто решил меня побеспокоить. И точно: я услышала голос Ленчика.

— Как прошла встреча, торжественно? — спросил Ленчик.

— Слезно. У тебя как дела?

— Жив-здоров... В догадках теряюсь...

— Напрасно. Лома я терпеть не могу...

— Наслышан...

— А ты мне нравишься.

— Выходит, я тебе должен? — хохотнул Ленчик.

— Не выходит. Ты мог меня с дерьмом смешать, а принял как порядочный, пальцем не тронул. Я добро помню. Считай, мы квиты. Да, вот еще что: решишь с Аркашей поквитаться, не забудь, что я есть на белом свете.

— Не забуду, и ты знаешь почему...

Теперь я хохотнула.

— Прости, говорить мне сейчас неудобно... Увидимся, даст бог...

— Увидимся, вот только с делами разберусь, а там...

— Удачи в делах. — Я повесила трубку. Смотрела в потолок и ухмылялась. Очень занятным показался мне наш разговор...

Валерка то и дело заглядывал в спальню и в конце концов лег рядом, правда, одеяло принес свое. Ночью мне сделалось совсем плохо, температура подскочила почти до сорока, перепуганный супруг вызвал «Скорую». Ехать в больницу я отказалась, лежала и думала: бог шельму метит... это мне за грехи...

К утру температура спала, взамен пришли слабость и апатия. Часов в девять позвонил Димка, голос какой-то сердитый.

— Как себя чувствуешь? — спросил он.

— Плохо, Дима. Ночью «Скорую» вызывали.

— Я сейчас приеду.

Тут я забеспокоилась.

— Дима, — сказала жалобно, — ну что ж Валерку-то в нелепое положение ставить. Он сейчас дома. Выздоровлю, увидимся.

— А то твой муж ничего не знает, — рявкнул он неожиданно зло.

— Одно дело знать, другое видеть, — ласково начала я, но слушать меня он не пожелал, прервал на полуслове:

— Ты из меня дурака не делай, я все прекрасно вижу...

— Что? — не поняла я.

— Все, — сказал, как отрезал, — может, я и дурак, но не настолько.

— Что ты болтаешь? — пролепетала я. — У меня голова кругом, руки дрожат, а ты вместо сочувствия бог знает какие глупости говоришь...

— Я предложил приехать. Чтобы ухаживать за любимой женщиной, когда она больна. Только ведь тебе это не нужно, верно?

— Что ты такое болтаешь? — разозлилась я; так слово за слово, принялись ругаться. Мне обидно стало, и опять я заплакала и бросила трубку.

Тут нелегкая принесла Таньку.

— Ты и вправду болеешь, что ли? — удивилась она.

— Дурака валяю, — огрызнулась я.

— Смотри-ка, температура, а Лом сказал — прикидывается. То, говорит, была здорова, как лошадь, то вдруг слегла.

— Ему бы самому так слечь, меня порадовать...

— Это вряд ли. Здоровьем его бог не обидел. Знаешь, как бывает: кому мозги, кому здоровье... Ладно, отлеживайся, тебе сейчас побольше спать надо. Личико у тебя совсем больное... Деньги я спрятала, выздоровеешь, отметим это дело.

— Отметим, — неохотно согласилась я. Танька вернулась от двери.

— Слушай, если ты больная лежишь, может, дашь ключ от Аркашкиной квартиры? Тебе она сейчас без надобности. Мне папулю пригреть надо: обворованный, несчастный, прибегал, к заднице моей жался, в общем, решила осчастливить, а дома Вовка.

— Возьми, — равнодушно кивнула я, и Танька меня покинула.

К вечеру у меня опять поднялась температура. Телефон звонил, а я даже подойти не смогла: головы от подушки не поднять. Муж из театра вернулся, напоил меня чаем и даже поцеловал, правда, в лоб, но с большой нежностью. Я нуждалась в утешении и припала к его груди, он стал говорить чтото ласковое и гладить меня по плечам, потом принес лекарство с кухни, заставил выпить, растер грудь какой-то гадостью, в общем, проявил заботу. Тут опять зазвонил телефон, Валерка подошел, снял трубку и очень зло ответил:

— Нет ее.

Я голову от подушки оторвала и спросила:

— Кто?

— Никто, — сказал он. — Номером ошиблись.

Видно было, что врет, и на душе у меня вдруг как-то стало нехорошо... Валерка сел рядом со мной, за руку взял и принялся о театре рассказывать. Я его слушала, понемногу успокаиваясь, и не заметила, как уснула.

Ночью меня точно ударили: вскочила в постели, страшно так, и чувствую, что беда рядом. Я хотела встать, позвонить Димке или Таньке, а лучше обоим, но от моей возни проснулся Валерка.

— Ты чего? — спросил испуганно. Ночные страхи показались мне глупыми.

— Сон плохой приснился, — слукавила я. Валерка меня обнял, к себе покрепче прижал, шепча на ухо что-то нежное и бестолковое.

В восемь утра звонок в дверь, Валерка открыл. В комнату влетела Танька, не бледная даже, зеленая какая-то. Я испугалась.

— Что? — спросила, а она в рев.

— Ладка, что случилось-то, господи, что случилось! Димка Аркашу убил.

— Как? — ахнула я, отказываясь верить, а сердце уже щемило: не зря, ох не зря меня ночью тоска мучила...

— Ладка, что будет, что будет-то, — вопила Танька. — Лом, подлюга, все он подстроил. А я-то, дура, сама ему разболтала, о господи, все, все пропало.

— Да расскажи ты путем, — заорала я.

— Да что рассказывать, все, доигрались. Лом сволочь, говорила тебе, не вяжись, все он, все он. Я ему сдуру брякнула, что Аркаша у моей груди греется, ну, что на квартире твоей встречаемся, черт меня дернул ему рассказать! Да разве ж я знала, господи? Мы с Аркашей, а в дверь звонок. Мы не открываем, ботать начали, того гляди дверь вышибут. Аркаша пошел, а я лежу. Слышу, Димкин голос, на отца орет, мне бы, дуре, выйти, а я лежу, уж очень злая на Аркашу была, замучил старый черт, пусть, думаю, по мозгам получит. Димка его, видно, за грудки схватил, а Аркаша ему пощечину, а Димка его и ударил. Я когда концы с концами свела да выскочила, Аркаша синенький лежит, а Димка мне: «Где Лада?» — «Как где? Дома. Болеет она». Димка к стене привалился, глаза белые... Сам милицию вызвал. Ой, господи, что теперь будет-то? Потянет всех Димка, всех, всех потянет. А срам какой, Ладка, срам! Слечу с работы, слечу. Ох, ты же знаешь, как я поднималась, все сама, все сама. И вот. Господи, за что? Димку жалко, пропал парень, и Аркашу жалко, а себя-то как жалко, слов нет!

Танька по полу каталась в истерике, а я, как чурка, в постели сидела, голова шла кругом.

— Танька, Димка-то где? — крикнула, перекрывая ее вой.

— Где, в тюрьме, где ж еще? Загремит теперь твой Димка лет на пять, если не больше. Ох, Ладка, шевелиться надо, ходы искать, пропадем, слышишь? Думай головой-то, думай, что делать.

Думай, не думай, а сделанного не воротишь. Димка отца убил и сам себя ментам сдал. Жизнь, привычная, отлаженная, разом рухнула, а что дальше будет, ведомо одному господу.

Скандал в городе вышел оглушительный, ни одна газета его не обошла, разговоров, пересудов и сплетен было великое множество, а мне хоть на улицу не выходи. Конечно, об истинном положении дел в милиции наслышаны были, но нас не трогали; Таньку только раз вызвали, а обо мне даже не вспомнили.

По Димке я тосковала, ревела ночи напролет и все думала, как его из тюрьмы вызволить. Нашли хорошего адвоката. Димка от него неожиданно отказался, думаю, тут не обошлось без его маменьки. Что она ему там пела, мне неизвестно, самой с ним встретиться так и не удалось.

В день Аркашиных похорон Валерка был в театре. Про дорогого друга даже не вспомнил, точно и не было его вовсе, зато ночью решил, что он мне муж. Я принялась его разубеждать, и до утра мы громко и зло ругались.

От моей прежней жизни остались осколки, душу грели только Танька да припрятанные деньги.

Танька поехала на кладбище, переживала она по-настоящему, рыдала взахлеб и все чего-то боялась. Проводив ее, я села на кухне помянуть в одиночестве Аркашу. Налила рюмку водки, заревела, да так и осталась сидеть за столом, раскачиваясь, подвывая да слезы размазывая.

В дверь позвонили, я пошла открывать и замерла от неожиданности с открытым ртом: на пороге стоял Пашка Синицын, Ломов дружок, и нагло мне ухмылялся.

— Чего надо? — грозно спросила я, потому что возле моей двери делать ему было нечего.

— Лом велел тебя привезти.

— Что значит привезти? Пусть позвонит. Договоримся.

— Значит, так, Лом сказал — будет трепыхаться, хватай за волосья и тащи. Мне что сказали, то и сделаю. Поехали.

Я одевалась, а у самой дрожали колени. Господи, что делать-то? Аркаша умер, Димка в тюрьме, кто за меня вступится? Ох, пропала моя головушка.

Сели в машину, я на Пашку посмотрела жалобно:

— Куда хоть везешь-то?

— К Аркаше на дачу, там мужики его поминают.

Тут мне совсем нехорошо стало. От Лома можно было ожидать любой подлости, надо срочно что-то придумывать, что-то такое, отчего Лому захотелось бы со мной дружить. А в голове пусто, Таньку бы сюда с ее планами.

Приехали на дачу, внизу нас встретил Святов, тот еще подлюга, хмыкнул и сказал:

— Пойдем.

Запер меня на втором этаже. Я сидела, ломая руки, ждала, что будет дальше. Внизу шумно, мужики галдят, у нас ведь как: начнут за упокой, а кончат за здравие. Час сидела, два, три. Ночь на дворе, а я комнату шагами мерила, голова раскалывалась, в горле пересохло. Позвать кого-нибудь боялась, не сделать бы хуже. Так жутко было, хоть волком вой. Тут и появился Лом. Во хмелю, глаза дурные, и ремень в руках вдвое сложенный.

— Ломик, — мяукнула я по привычке, а он меня ремнем по лицу, едва ладонями прикрыться успела. И началось. Бил он меня остервенело, со всей своей звериной силы, я голову руками закрывала и орала во все горло, сил не было терпеть. Подумала с ужасом: запорет, сволочь. Тут Лом ремень в сторону швырнул, принялся штаны расстегивать. Радость небольшая, но все ж лучше, чем ремень. Я ногой ему съездила легонько, так, для затравки, и отползать стала, чтоб Лому было интересней, от себя отпихиваю и кричу. В самый раз. Думала, поладим. Какое там. Поднялся, ремень свой прихватил и вниз к мужикам ушел.

Под утро опять явился, рожа багровая,

■

глаза злые, и снова ремешком охаживать стал. Терпела, пока силы были, потом заорала, не выдержала.

Ушел, часов пять не показывался, спал, видно, и я уснула, а проснулась от того, что дверь хлопнула. Как увидела, что это опять Лом, что опять в руках ремень держит, закричала. А он в кресло сел, ноги расставил.

— Ну давай, — говорит, — милая.

Я пошла к нему, а он:

— Нет, Ладушка, ползи.

— Обломишься, сволочь, — заорала я.

— Поползешь как миленькая, а будешь дергаться, мужикам потеху устрою, пущу по кругу.

Взвыла я так, что аж в голове звон, и поползла. А куда деваться?

Двое суток эта карусель продолжалась. Лом то бил меня, то насиловал, наизмывался всласть, нет на свете подлости, до которой бы он не дошел своим крошечным мозгом. Последний раз пришел совсем пьяный, поздно ночью. Я ревела, сидя на постели, трясло всю. Он меня кулаком в лицо ударил, губу разбил, я закричала, а он еще раз. Все, думаю, все, в окно выброшусь, голову о стену разобью. А он матерится, орет:

— Давай, давай, Ладушка, поработай.

Сполз с меня и рядом уснул, пьян был сильно. Я лежала ни жива ни мертва, пошевелиться боялась. В доме вроде бы тихо, угомонились, черти. Плащ схватила, вышла на лестницу, мужики вповалку спят. Не помню, как из дома выскочила. Бежала вдоль дороги, от машин в кювет шарахалась, боялась, догонят.

К утру пришла домой. Валерка дверь открыл, я в ванную, трясет всю, замерзла. Лицо умыла, а Валера в дверях стоял и смотрел на меня.

— Что, доваландалась со своими бандюгами?

— Пошел к черту! — заорала я и дверью хлопнула.

Лежала в горячей воде, все тело разламывалось, смотреть страшно — цвет аккурат как у покойного Аркаши лицо: бледно-фиолетовый. Что ж мне делать-то теперь?

Позвонила Таньке. Она через двадцать минут приехала, увидела меня, ахнула.

— Ладка, убьет, зараза, мозгов мало, а злобы...

Я на диване сидела, раскачивалась из стороны в сторону, как шалтай-болтай.

— Что делать, а? — спросила подругу.

— К тетке моей поедешь, — решила Танька, — в деревню. Отсидишься. Не боись. Где наша не пропадала, и здесь прорвемся.

В субботу Танька в деревне появилась. Гостинцев привезла, несколько книжек.

— Как ты? — спросила.

— За грибами хожу.

— Дело хорошее.

Сели с ней на пригорке, курим.

— Как Димка?

— Забудь. Сгорел парень. И душу себе

не трави. Без толку. Эх, говорила я тебе... ладно.

— Что в городе, дела как?

— Плохи дела. У Лома мозгов маловато. Лезет напролом. Если в неделю все не приберет, знаешь, что будет?

— Знаю, — кивнула, — война.

— Вот-вот, — горестно сказала Танька.

Последний раз воевали два года назад. Но тогда Аркаша был жив, великий стратег и учитель. А Лом в тот раз такую звериную повадку показал, что даже бывалые мужики ахнули, конкуренты по щелям расползлись и затихли. Аркаша и тот перепугался. Теперь все по-другому будет. На одном зверстве далеко не уедешь, мозги нужны, а где они у Лома? Дружки одеяло на себя потянут. Танька дымом пыхнула, посмотрела вдаль и сказала:

— Если Лому сейчас не помочь, сомнут его. Он и концов не ухватит.

— Ты что это? — вскинулась я. — Ты что, Танька? Он Димку подставил, он, подлюга, надо мной так измывался, что рассказать стыдно...

— Оно конечно, — вздохнула Танька. — Хотя и его понять можно, каково ему знать, что ты его на Димку променяла? Гонор. Опять же, не чужие. Ты прикинь, если Лома сомнут, кто всем заправлять будет? Не к каждому подъедешь. А Лом хоть и подлюга, да свой, душа родная. Надо бы помочь.

— Танька, ты ж говорила, отойдем по-умному, чтоб рожи бандитские не видеть, а?

Танька опять вздохнула.

— Ох, Ладка, куда отходить-то, сто раз кругом повязаны. — Прикурила сигарету, посмотрела вдаль и добавила: — Вот что, подруга, ты кашу заварила, тебе и расхлебывать. А мне ехать надо.

И уехала.

На следующий день я сидела на веранде, грибки на ниточку нанизывала, слышу, вошел кто-то. Обернулась — в дверях Лом, плечом косяк подпирает. Улыбнулся и запел:

— Ладушка, соскучился я.

— Уйди, подлюга, — сказала я и аж заревела с досады.

Лом подошел, сел напротив, взял меня за руку.

— Ладушка, давай мириться, а? Ну погорячился я. Сама виновата. Я ж к тебе со всей душой, верил тебе, может, только тебе в жизни-то и верил, а ты меня на щенка променяла, ноги об меня вытерла. Ну что теперь? Помиримся, Ладушка.

— И не подумаю. Сомнут тебя, и поделом. Будешь на рынке с торгашей червонцы сшибать.

Лом погладил мою руку, спросил, блудливо кривя губы:

— Синяки прошли?

— Нет.

Подошел, наклонился к самому лицу:

— Я наставил, я и залижу. Ну, Ладушка, миримся?

Я посмотрела на него снизу вверх, подумала и сказала:

— Сядь, поговорим.

Лом сел и на меня уставился.

— Значит, так. Ты Димку в тюрьму упек, ты его оттуда и вытащишь.

— Сдурела?

— Ага. И это мое последнее слово. Ты ему не поможешь, я тебе не помогу.

Рожа Лома враз переменилась, зрачки узкие, как у кошки, впился глазами в мои глаза, думал минут пять, потом выдохнул:

— Значит, щенка своего любишь? Хорошо, — Лом усмехнулся. — Устрою тебе вооруженный налет по всем правилам. Мужикам ты платить будешь, хорошо заплатишь, под ментовские пули задарма дураков нет ходить, и мне заплатишь. Все продавай. Без штанов я тебя оставлю, Ладушка. Это раз. Теперь два: жить вместе будем, я не Аркаша, ни с кем делить тебя не собираюсь, с мужем разведешься, и не потом, а завтра. Денег в деле у тебя не будет, и не надейся, только те, что я дам, а я посмотрю, сколько дать. Дернешься, бить буду, а обманешь — убью. Только кто-то донесет, что у тебя хахаль, сразу и убью, разбираться не буду. В тюрьму сяду, но с тобой кончу. Все поняла?

— Поняла. Димку до границы я сама провожу. Не верю я тебе, Лом. Убьешь парня по дороге, с тебя станется.

— Как ты за щенка своего боишься.

— Ты мне пообещай.

— Пообещал. Проводишь, потрахаешься напоследок.

Лом не обманул. Все сделал, как обещал. Я ждала на своей «Волге». Подъехали на двух машинах. Димка еле вышел, за грудь держится. Я ему в «Волгу» помогла сесть, при Ломе боюсь слово сказать, а он к Димке наклонился, морда злая.

— Вот что, щенок, решишь здесь объявиться, хорошо подумай. Я тебя ментам сдавать не буду, сам хлопну, и вся недолга.

Я села за руль, а Святов, подлюга, сказал:

— Лом, не пускай ее, сбежит.

— Ладка от денег сбежит? — усмехнулся тот. — Да она за ними на карачках приползет. Как миленькая.

Я вздохнуть боялась, ну, как передумает и меня не отпустит? Только когда из области выехали, поверила, что повезло. На развилке у железнодорожного переезда нас ждала Танька. Я затормозила, вышла из машины, она бросилась мне навстречу, чемодан протягивает.

— Вот. Крупными купюрами.

— Спасибо, — сказала я. — Давай простимся, что ли, подруга.

Обнялись мы с ней и заревели.

— Ладка, господи, счастья тебе, одна ты у меня душа родная на всем белом свете.

— Свидимся ли еще? — сказала я. Танька носом шмыгнула.

— Письмо хоть напиши, чтобы знать, что жива. Ладно, поезжай, чего тут.

Танька далеко позади осталась, а я все о ней думала и ревела. Почувствовала, что Димка на меня смотрит, повернулась и спросила:

— Как ты?

— Нормально.

— Чего за грудь держишься?

— Ребра сломаны.

— Господи! — ахнула я.

— Ты на дорогу смотри. С Ломом жила? Не отвечай, знаю.

— Димка...

— Молчи. Со мной поедешь? — резко спросил он.

— Поеду. Поеду, Дима, если возьмешь.

Он усмехнулся, а я заговорила торопливо:

— Ты не все знаешь. Помнишь деньги курьерские? Вон они, в чемодане. Мы с Танькой.

— Не дурак, понял. Кому ж еще?

— Простишь? — робко спросила я.

— Дура ты, Ладка. Люблю я тебя.

Обосновались мы в Минске, сняли номер в приличной гостинице. Первые два дня выходили из номера, только чтобы перекусить: не могли досыта наговориться и друг на друга насмотреться. Потом разговоры поутихли, надо было решать что-то всерьез. Денег, что я с собой прихватила, нам хватит не на несколько месяцев даже, а на несколько лет, но ведь не только в деньгах дело. Будущее виделось смутно и как-то безрадостно.

Часами шлялись по городу и все чаще друг от друга глаза отводили. Через две недели я честно призналась самой себе, что страшно скучаю по родному городу, своей квартире, привычным и дорогим вещам, а главное, по Таньке. Конечно, я и раньше знала, что будет мне без нее одиноко, но чтобы так...

Я гнала эти мысли прочь, зная, что, решись я даже Димку бросить, дорога назад мне заказана. И Димку бросать не хотелось, не его вина, что жизнь обошлась с нами сурово, а уж если по справедливости судить, моей вины здесь несравнимо больше. Но, как бы то ни было, чувствовала я себя несчастной и тайком от любимого часто ревела.

Как-то вечером он присел передо мной на корточки, взял за руки и спросил:

— Плохо тебе со мной?

Я испугалась, обняла его покрепче и сказала:

— Мне с тобой хорошо, Дима. Только страшно очень. Зыбко все, мутно.

Он стал целовать мне руки и уговаривать:

— Все хорошо будет, Ладушка. Потерпи немного. Все есть, и руки, слава богу, тоже, сейчас не старые времена, все проще. Найду работу, будет у нас свой дом, и жизнь наладится. Только потерпи немного, пожалуйста.

Я заплакала и стала клясться в вечной

любви. Димка, конечно, прав, ничегонеделанье кого хочешь в тоску вгонит, а для мужика это и вовсе равносильно тюремному заключению.

На следующее утро Димка отправился искать работу, а я не удержалась и позвонила Таньке. Она мне очень обрадовалась.

— Как медовый месяц? — спросила с затаенным ехидством.

— Нормально.

— Что-то голос у тебя не больно веселый.

— А мне и не весело.

— Что так? Чего хотела, то и получила. Любовь, романтика и все такое...

— Не по душе мне романтика. Димку очень жалко... а так... сижу здесь в четырех стенах и вою, как волк на луну. Без тебя тяжко.

— А мне-то каково, — запечалилась Танька и даже заревела. — Прям как осиротела, ей-богу... Все вокруг чужим смотрит, в душе радости нет. Может, мне к тебе податься? Поди, денег нам хватит, как думаешь?

— Не знаю. Может, хватит, а может, и нет. Только ты не спеши: некуда. Ничего тут нет хорошего.

— А любовь? — насторожилась подружка.

— Отвяжись, — сказала я и заплакала с досады. Танька принялась меня утешать, а я с ней печалями делиться. Думала, легче мне станет, а как повесила трубку, такая на меня тоска навалилась, хоть в самом деле волком вой.

На счастье, вскоре пришел Димка, улыбчивый и вроде всем довольный, но в глазах какое-то беспокойство плещется. Отправились мы с ним обедать, идем, за руки взявшись, планы строим, а я ни одному словечку не верю. На следующее утро Димка опять ушел, а я посидела-посидела и решила по городу прогуляться. Все лучше, чем в потолок смотреть. Прошлась по магазинам, забрела в парикмахерскую, за себя тихо порадовалась: душевные волнения никак не сказались на моей внешности. Даже наоборот, легкая грусть в глазах придала моему лицу романтизм, сделав его интереснее.

В гостиницу я возвращалась после трех, нагруженная пакетами и вполне довольная жизнью. Ключа на полке не было, значит, Димка уже вернулся. Я обрадовалась и бодро зашагала по коридору. Мне не терпелось продемонстрировать ему новую прическу и похвастать платьем.

Толкнула дверь, сделала шаг и замерла. В кресле у окна сидел Лом и смотрел на меня с придурковатой ласковой улыбкой, точно ребенок, обнаруживший в кармане шоколадку.

— Здравствуй, Ладушка, — привычно пропел он. Я хотела заорать и кинуться за дверь, но не тут-то было: дверь за моей спиной хлопнула, и к ней привалился Пашка Святов, сукин сын и мой давний недоброжелатель. Тут я и остальных увидела: Пашка

Синицын, или попросту Синица, развалился на кровати и тоже лыбился, а в сторонке в кресле ухмылялся Саид. Все дружки в сборе, мать их...

— Где Димка? — хмуро спросила я, стараясь, чтобы голос не дрогнул. Швырнула пакеты на пол и вошла в комнату.

— Ждем, — пакостно улыбнулся Лом, поднимаясь мне навстречу. Я сжалась под его взглядом, а он пнул меня ногой в живот. Я, конечно, устроилась на полу и немного похватала ртом воздух. — Красавица ты моя, — опять запел Лом, схватил меня за волосы, намотал их на свою ручищу и больно дернул. От прически ничего не осталось. Слезы брызнули из глаз, я зажмурилась и закрыла лицо руками. Лому это не понравилось. Он пнул меня еще разок и сказал: — Посмотри-ка на меня, Ладушка... соскучился...

— Чтоб ты сдох, зараза, — ответила я, хоть и было это неразумно. Если Лом заведется, сам черт его не остановит. Конечно, он меня ударил, потом еще и еще, раз от разу все больше входя в раж. Остальные взирали на это с полным равнодушием, что не удивительно. Святов наверняка охотно бы поучаствовал, но настроение Лома предугадать трудно, и Пашка не рискнул.

Глаза Лома налились кровью, и свою силушку он уже не чувствовал. Я с тоской подумала: «Убьет», но он вдруг остановился и даже отпустил мои волосы.

— Подъем, красавица, — сказал он с улыбкой. — Домой едем.

— Никуда я с тобой не поеду, — сказала я упрямо, поднимаясь с коленей, ну и, естественно, в то же мгновение опять оказалась на полу. Лом сгреб меня за шиворот и легонько встряхнул.

— Поедешь, Ладушка, куда ты денешься? И можешь мне на слово поверить, жизнь у тебя будет — нищий не позавидует... Пашка, — сказал он Синице, — собери ее манатки.

— Сама соберет, — огрызнулся тот.

— Собери, — Лом нахмурился, — чтоб ни одной тряпки не осталось.

Синица неохотно поднялся и стал суетливо сновать по номеру. Лом курил, поглядывая на меня сверху вниз, и вроде бы был доволен.

— Где Димка? — вытерев лицо, спросила я.

— А не виделись еще. И по секрету скажу, даже не хочется...

Он хохотнул, мужики покосились в некотором недоумении, а я и вовсе перестала понимать, что происходит. И тут пакет заметила. Под ложечкой засосало, так вот чему Лом радуется: деньгам. Я их спрятала, и, казалось, надежно, но сукин сын нашел и теперь скалил зубы.

— Откуда дровишки? — спросил, ухмыляясь.

— Выкуп, — нагло ответила я. Умирать так с музыкой. Мужики малость обалдели, а Лом засмеялся. Было ему очень весело, он хлопнул себя ладонями по ляжкам и сказал:

— Чуяло мое сердце, не обошлось без тебя... — Синица тем временем закончил сборы и хмуро кивнул. — Поехали, — пропел Лом. — Ох и не завидую я тебе, Ладушка...

— Кто останется? — спросил Святов, тоже, как видно, не очень понимая, что Лом затеял.

— А никто, — ответил тот. — Щенок мне без надобности. Пусть живет и радуется.

Тут я сообразила, что Димка вернется, а в номере ни меня, ни вещей, ни денег. Что он подумает? Я побледнела и попросила Лома, глотая слезы:

— Дай я ему записку напишу.

— Перебьешься, — ответил он со злой улыбкой. — Поехали. Не то Саида здесь оставлю, он из твоего щенка в пять минут шашлык сделает.

— Можно я умоюсь? — сделав шаг в сторону ванной, сказала я, пытаясь придумать, как предупредить Димку.

— Ты мне и такой нравишься, — засмеялся Лом и толкнул меня в спину. Мы вышли из номера, впереди Лом, следом я под руку с Синицей, а за нами Святов с Саидом.

Прибыли они сюда на двух машинах. «БМВ» Лома красовалась на стоянке, рядом джип Саида. Мужики загрузились в джип и поехали впереди, Лом устроился за рулем своей машины, швырнув меня на заднее сиденье, и отправился следом. О том, чтобы сбежать, не могло быть и речи. Во-первых, без копейки за душой мысль о побеге не вдохновляла, во-вторых, Лом мог всерьез разозлиться и попросту меня пристрелить. Перспектива не радовала. Дорога предстояла дальняя, а видеть перед собой Лома было противно. Я легла, подтянув к животу колени, и попыталась уснуть.

За всю дорогу мы и трех слов друг другу не сказали. Лом несколько раз останавливался перекусить, меня с собой не брал, оставлял с кем-нибудь из мужиков. Я молчала, стиснув зубы, и открыла рот только однажды, когда захотела в туалет. Ломик хмыкнул и пошел меня провожать. Было это в придорожном кафе. Буква Ж на дверях впечатления на него не произвела. Я несколько раз обругала Лома дураком и идиотом, но толку от этого не было. Он твердо решил, что возможности удрать у меня не будет. Так и вышло.

В родной город мы вернулись на следующий день, ближе к вечеру. Возле моего дома Лом даже не притормозил. Я хотела было попросить его заехать ко мне, но гордость не позволила. Я сидела молча и гадала: куда он меня везет, какую подлость замыслил и что собирается со мной делать?! Тот мудрить не стал: привез меня в свою квартиру. Она у него огромная, но какая-то нежилая. Как видно, мой бывший возлюбленный решил, что ему недостает женской заботы.

Мы вошли в квартиру, Лом хлопнул дверью и повернулся ко мне. Под его взглядом я затосковала и стала переминаться с ноги на ногу. Он не отказал себе в удовольствии и отвесил мне пощечину: сначала одну, а потом еще парочку. Хмыкнул и заявил:

— Будь как дома, Ладушка.

Прошел в кухню, достал водки из холодильника и залпом выпил стакан, потом второй. Умотал в комнату, которая у людей была бы гостиной, а у Лома непонятно что, и на диван завалился, включив телевизор. Пьяный Лом — а его, конечно, после суток за рулем и двух стаканов водки непременно «поведет», — так вот, пьяный Лом зрелище жуткое и очень опасное.

Я шмыгнула в кухню, села в уголочке и — что делать — потихоньку заревела. Было мне себя жалко, а чем помочь своей беде, я и придумать не могла. Деньги, что забрал у меня, Лом отнес в спальню, там у него тайник, что-то вроде сейфа. Считай, пропали мои денежки. Я заплакала горше. Конечно, удрать я смогла бы, но дело это зряшное, а в родном городе нет места, где можно было бы укрыться от Лома. Непременно найдет. Только хуже будет.

— Ладка, — крикнул он. Я вздохнула: ну вот, началось. Он крикнул еще раз. На встречу с любимым я не собиралась, открыла дверь на балкон и встала на пороге. Наоравшись вдоволь, Лом появился на кухне. Я схватилась за перила и напомнила ему:

— У тебя третий этаж, придурок. Еще шаг сделаешь — спрыгну...

— Слабо, — усмехнулся он.

— Как же, — усмехнулась я. — Все что угодно, лишь бы рожи твоей не видеть.

Я взобралась на плетеное кресло и села на перила.

— Слабо, — повторил Лом, но без особой уверенности. Я убрала ноги с кресла и сложила руки на коленях. Он притормозил. — Ладно, — кивнул. — Ты упрямая стерва, можешь и в самом деле с третьего этажа сигануть, а у меня совершенно другие планы. Когда-нибудь тебе надоест на балконе сидеть.

Он ушел, а я стала любоваться панорамой ночного города. Занятие это развлекло меня ненадолго, потом я начала томиться, но с балкона уйти не рискнула.

Лом больше не появлялся, и ночь мы провели относительно спокойно: он в одной из своих неприютных комнат, а я на кухне, в спасительной близости от балкона.

Утро началось скверно. Проснулась я от цепких Ломовых рук, открыла глаза и увидела, что он стоит как раз между мной и моим убежищем. Не произнося ни слова, он стал срывать с меня одежду. Сопротивление результатов не принесло. Стащив с меня все, вплоть до туфель, он вышел на балкон и швырнул мои шмотки с третьего этажа. Я все-таки растерялась. Ломик мне улыбнулся и сказал:

— Это на тот случай, если ты решишь удрать. Надумаешь, пожалуйста: только в чем мать родила.

— Идиот, — покачала я головой.

129

— Точно, — охотно согласился он и удалился. Когда вернется, не сказал, но я была рада и самой короткой передышке. Забралась в ванную, потом в шкафу взяла рубашку и облачилась в нее. Сойдет за халат, если подвернуть рукава.

Холодильник был пуст, в доме ни хлеба, ни картошки. Может, этот псих решил меня голодом уморить? С него станется. Я кинулась звонить Таньке. К моим бедам она отнеслась без должного уважения.

— Не падай духом, — засмеялась. — Неужто дурака не облапошим?

— Тебе хорошо, — разозлилась я, — а я вторые сутки голодная, в животе урчит.

— Потерпи. С работы заеду... а если он раньше меня явится, так ты гордость-то прибери да попроси ласково, со слезой, авось и накормит.

— Я его попрошу со слезой, — уверила я. Делать мне было совершенно нечего, и, воспользовавшись тем, что кровать свободна, я завалилась спать.

Танька пришла рано, часа в три, как видно, мои жалобы ее достали и она подсуетилась. Привезла кое-какой одежды, а еще провизии в двух пакетах. Мы обнялись, расцеловались и прослезились. Если честно, то больше от радости, что снова вместе.

— Ломика обломаем, — заверила Танька, разливая чай. — Он от твоих небесных прелестей давно спятил. Увяз по уши...

— Ага, — хмыкнула я.

— Ага, — передразнила меня Танька. —

Дела идут неважно. Как я и думала, Лом много чего не углядел, а тут еще ты сбежала... Ему б наплевать и делом заняться, а он на другой конец света поперся за любимой женщиной. Очень ты ему нужна.

— Конечно, — фыркнула я.

Танька посмотрела хмуро и сказала:

— Тебе повезло.

— Что? — охнула я, пытаясь понять Танькины слова.

— Чего глаза таращишь? Повезло. Он тебя не убил — раз, не покалечил — два, мужикам на потеху не отдал — три, попинал вполне по-семейному. А теперь скажи, что не любит... Если б не любил, лежала бы ты сейчас в морге и выглядела так паршиво, что и думать не хочется.

— Это ты меня успокаиваешь, что ли? — опешила я.

— Конечно. Ты же не дура, должна понимать. Сейчас Ломик злится, и пусть себе полютует маленько, а ты наперед подумай, как его покрепче к себе привязать.

— На кой черт он мне?

— Боюсь, что другого-то не будет, Ладушка, — пропела Танька, чем очень напомнила Лома. — Либо ты из него сляпаешь образцового мужа, либо он тебя на кладбище устроит. От любви до ненависти один шаг и обратно тоже.

— Мне его любовь даром не нужна...

— С синяками ходить лучше? Давай взглянем на проблему иначе: у нас с ним общее дело...

— Нет никакого дела, — перебила я. — Аркаша помер, и все дела с ним...

— До чего ж ты вреднющая бываешь... Дай сказать-то... Так вот, у нас с ним общее дело. Ежели по-умному себя поведешь, деньги, что он у тебя забрал, с лихвой вернутся, сам в зубах принесет, да еще хвостом вилять будет. Лом дурак, но имеет власть, а мы при нем развернемся... — Глаза у Таньки загорелись, на лицо пал отблеск вдохновения.

— А я-то гадаю, как ты могла проболтаться, где меня найти, — покачала я головой.

Танька оставила замечание без ответа, почесала нос и добавила:

— Мы с Ломиком заживем лучше, чем с Аркашей.

Я посмотрела на Таньку и застонала:

— Танька, убьет он меня...

— Вряд ли, коли по сию пору не убил. Ты б дурочку-то не валяла, пригрела бы его на своем шикарном бюсте. Побесится и простит. Будешь им вертеть ловчее, чем Аркашей, царство ему небесное (тут Танька перекрестилась на пустой угол). — Кошки и бабы гуляют сами по себе, а мужики и собаки к ним приноравливаются, — вдруг процитировала она.

— Сама придумала? — насторожилась я.

— Нет, мне слабо. Почерпнула из умной книги, нет-нет и прочтешь что-нибудь путное.

— Мудрость сия мужского происхождения?

— Конечно, бабы народ скромный.

— Интересная мысль, — призадумалась я. Танька поглядывала на меня с хитрецой. — И что мне с этим дураком делать?

— Скажи, что шибко любишь.

— Спятила?

— А чего? Сама ж говоришь: дурак. Поверит, если душевно скажешь.

— Что, вот так просто кинуться на шею и заявить: «Лом, я тебя люблю»?

— Так просто, пожалуй, не годится. Опять же, у мужика имя есть, зовут его Генка, лучше, конечно, Геночка.

— А еще лучше новопреставленный Геннадий, — съязвила я.

— Нет, не лучше, — терпеливо ответила Танька. — Есть еще Святов. Он тебя не жалует и при случае с дерьмом смешает. В общем, думай... Нужна тебе хорошая жизнь — создай ее своими руками.

В этот момент дверь открылась, и на пороге появился Лом, почти трезвый. Таньку он не выгнал, а вполне мирно поздоровался. Это еще больше убедило меня в том, что о нашем с Димкой местонахождении донесла ему она.

— Ты чего человека голодом моришь? — усмехнулась Танька, наливая Лому коньяка.

— Не сдохнет, — ответил он, не глядя в мою сторону.

— В тюрьме хоть и макаронами, но кормят. У нее с голодухи мысли дурные. Ревет.

— Она у меня не так заревет, — утешил

ее Лом. Тут его взгляд натолкнулся на вещи, что принесла Танька. — Это что? — спросил он хмуро.

— Ладке собрала кое-что на бедность. Чего ж бабе, голой ходить?

Лом поднялся, вещички сгреб в охапку и швырнул с балкона.

— Повезло кому-то, — вздохнула Танька. — Полторы тыщи баксов.

— Псих, — рявкнула я. Лом пнул ногой мой стул, и я тут же пристроилась в уголке, разбив при этом губу о столешницу.

— Ты что ж делаешь, гад? — поднялась Танька. — Ты что мне обещал? Ты какие клятвы давал? Отпинал раз — и хватит, зверюга окаянная...

— Еще раз встрянешь, и ты получишь, — заверил Лом и коньячку выпил.

— Дурак, — покачала головой Танька, помогая мне подняться. — Сваляла баба дурака, не того выбрала. Был бы умный — простил, по-доброму всегда лучше.

— Топай отсюда! — заревел Лом. — Загостилась.

— Видишь, что выделывает? — пожаловалась я, размазывая слезы.

— Проявляй гибкость, — посоветовала Танька и отбыла восвояси. Ей хорошо говорить...

Лом устроился возле телевизора. Я помыла посуду и заглянула к нему.

— Генка, можно я на диване лягу?

— Можно в спальне, — усмехнулся он.

— Ты драться будешь.

— А это уж как услужишь.

— Пошел ты к черту... — разозлилась я.

— Тогда на выбор: кухня или вон прихожая, можешь коврик взять и лечь у двери.

— Чтоб ты подох, скотина! — от души пожелала я.

Держалась я неделю, потом пришла в спальню. Лом довольно ухмыльнулся:

— Никак надумала, Ладушка?

— Пообещай, что драться не будешь!

— Еще чего...

Мое водворение в спальне закончилось плачевно, я заработала синяк под глазом, огрела Лома настольной лампой и остаток ночи провела на балконе. Но в этот раз не ревела, а, поглядывая на проспект, ухмылялась. Танькины слова возымели действие, все чаще появлялась мысль: неужто я и вправду этого дурака не облапошу? Ладно, гад, ты у меня будешь на задних лапах ходить и хвостом вилять.

Утром позвонила Танька.

— Чего надумала, подруга?

— С души воротит от его мерзкой рожи, — сказала я.

— Ничего, привыкнешь. Еще как понравится... О делах не заговаривал?

— Нет.

— Вот это плохо. Святов у него сейчас первый советчик. Тянет одеяло на себя. Оглянуться не успеем, как вожди сменятся. Ладка, шевели мозгами...

— Да пошла ты... — рявкнула я и бросила трубку.

Вдруг мне стало обидно. Лом проявлял стойкое нежелание прощать измену. Его желания беспокоили меня мало, но ходить с синяками и торчать на балконе изрядно надоело. В общем, пора что-то придумать.

Я включила магнитофон, немного послушала музыку и составила план. Первое, что необходимо сделать: дать этому придурку возможность меня пожалеть. Лучше всего больной прикинуться. Но он хоть и дурак, но хитер и недоверчив, болезнь должна выглядеть натурально. Погода стояла холодная, я вышла на балкон и ненадолго там прилегла. Я зябкая и простуду подхватила сразу, к вечеру поднялась температура. Однако старалась я зря — мой голубок явился под утро, сильно навеселе и моего плачевного состояния попросту не заметил.

Утром я выглядела умирающей. Лом собрался за десять минут и ушел, а ночевать и вовсе не явился. С лежанием на балконе я перестаралась, заболела по-настоящему. Прождав любимого весь следующий день, я разозлилась и вызвала такси, с намерением ехать к Таньке.

Водитель глаза вытаращил, завидев меня босой и в Ломовой рубашке. Я продемонстрировала затекший глаз и пояснила:

— Муж избил. Отвезите к подруге...

— Суров мужик, — заметил дядька. — Чем допекла?

— Сказать забыл...

Дядька оказался человеком добрым и к Таньке отвез. Та только покачала головой, уложила в постель и начала проявлять заботу. Молчать она не умеет, оттого вместе с заботой на меня обрушился поток дельных советов и предложений. Голова у меня начала пухнуть и вроде бы даже треснула.

— Не могла бы ты заткнуться, дорогая? — ласково спросила я.

Танька нахмурилась, обиженно засопела, но умолкла. А я блаженно закрыла глаза.

В первом часу ночи явился Лом.

— Где Ладка? — спросил он весьма грозно.

— Здесь. А ты выметайся, я тебе ее не отдам.

— Ага, — хищно ухмыльнулся Ломик. Танька встала в дверях, разгневанная и упрямая.

— Тебя где ночами носит? У нее температура под сорок. В доме хлеба ни крошки, за лекарством некому сходить...

— Принес я ей лекарство, сейчас выздоровеет.

Лом легонько подвинул Таньку и вошел в комнату. Сцену я репетировала долго и теперь лежала разметавшись в подушках; заплывший глаз, здорово портивший картину, не был виден, я тяжело дышала и собиралась сиюминутно скончаться. Не знаю, что он ожидал увидеть, но заметно растерялся. Потом сгреб меня за плечи и рывком поднял. Я попробовала открыть глаза, слабо простонала, лежа на его руках тряпичной куклой. Лом прибег к своему обычному средству: залепил мне пощечину. Танька зло прикрикнула:

— Отстань, гад! Ты чего, зверюга, добиваешься? Чтоб она на твоих руках сдохла? Баба третий день с температурой. Лежит одна в пустой квартире, воды подать некому, а ему и дела нет. Пришлось к себе везти... Чего глаза-то вытаращил?

Я лежала молча и только слабо постанывала. Лом переводил взгляд с меня на Таньку, не желая верить в мою смертельную болезнь.

— Шел бы ты домой, — проворчала подружка.

— Умница, — пропел Лом. — Здесь ей делать нечего.

— Генка, ей врача надо. Ты, что ли, за ней ухаживать будешь? Сбежишь с утра на трое суток, а она в твоей квартире загнется.

Лом, не слушая ее, попробовал поставить меня на ноги. Я быстро сползла на пол. Он разозлился и попробовал еще раз, с тем же успехом. Танька не выдержала и огрела его по спине.

— Ну что ты делаешь...

Сообразив, что стоять на ногах я упорно не желаю, он подхватил меня на руки и шагнул к двери.

— Одеяло возьми, — засуетилась Танька. — Простудишь еще больше. Пожалуй, с вами поеду, мало ли что...

По дороге я не подавала признаков жизни, и Таньке удалось запугать Лома до такой степени, что, оказавшись в квартире, он вызвал «Скорую». На такую удачу мы даже не рассчитывали. Приехала врач и сразу же заявила, что меня надо везти в больницу. Лом вдруг всполошился, стал совать ей деньги и нести всякую чепуху. Приняв его за идиота, женщина повторила еще категоричней:

— В больницу! — И меня увезли.

Лом не появлялся три дня, чему я втайне радовалась. На четвертый возник в палате. Едва ли он очень беспокоился о моем здоровье, скорее боялся, как бы я не сбежала.

Переступил через порог и растерянно замер. Надо сказать, что до сего дня он видел мое лицо либо с изрядным количеством косметики, либо украшенным синяками. За эти дни синяки сошли. Без косметики я выгляжу совершенно иначе. Прежде всего гораздо моложе. Сейчас мне смело можно было дать лет восемнадцать. Это то, что касается лица, а то, что ниже шеи, возможно, тоже выглядит на восемнадцать, но крутых. Однако в настоящий момент Лом пялился на мою физиономию. Танька утверждает, что у меня прекрасная душа и это отражается на лице. Как бы то ни было, а я не люблю демонстрировать свое лицо без грима кому попало и делаю это крайне редко. Решив, что кашу маслом не испортишь, Танька заплела мне две косы и напялила дурацкую рубашку с рюшами розового цвета. Не знаю, что доконало Лома: мой чистый взгляд невинной девочки или эти самые рюши. Но он замер в дверях, точно истукан, и выкатил глаза.

Меня поместили в отдельной палате с телевизором и ванной, так что стесняться было некого, и Танька, завидев Лома, принялась ворчать:

— Явился... Ладка помрет, а ты и не узнаешь... Смотреть на тебя тошно, рожа опухшая, поди, трое суток лопал? И душа не болит... прямо позавидуешь некоторым... Ладушка, — усевшись на кровать, медово сказала Танька, — молочка выпей...

— Не хочу молока, — капризно ответила я и губы надула. Заслышав мой голос, Лом вроде бы очнулся и прошел в палату.

— Привет, — сказал он, кашлянув.

— Привет, — фыркнула Танька, а я ответила:

— Здравствуй, Гена.

Лом насторожился и почти испуганно поглядел на меня, потом взял стул и сел рядом. Танька все еще совала мне молоко. Я выпила, вернула ей чашку, стараясь не смотреть на любимого, зато он пялился на меня вовсю.

— Как дела-то? — спросил через минуту.

— Неужто интересно? — съязвила Танька. — А мы думали — довел бабу до больницы и...

— Я ее не доводил, — разозлился Лом.

— Конечно, это я ее довела, а стыд-то какой: привезли без тапок, без халата и без трусов, прости господи. Точно сироту казанскую. — Танька сплюнула с досады и отвернулась от Лома.

— Сама виновата, — проворчал он.

— Ну, заладил... — фыркнула подружка. — Сама, сама... говорили уже... На себя посмотри, тоже хорош... явился на четвертый день.

— Я звонил, — сказал Лом и покосился на меня. Я устроила свою божественную головку в подушках и мечтательно разглядывала потолок.

— Что, вот так и явился? — посмотрев на Лома, в крайней досаде проворчала Танька. — С пустыми руками? Хоть бы яблоко прошлогоднее принес... и добро бы денег не было... Мало ты ее дома голодом морил, так и в больнице ничего по-людски сделать не можешь. Ей витамины нужны. А я, между прочим, не миллионер. Знаешь, сколько эта палата стоит?

— Отстань, Танька, — отмахнулся Лом. — Деньги дам, сколько скажешь, нашла о чем беспокоиться... — Он опять покосился на меня и спросил: — Ты сама-то как вообще?

— Плохо, — закусив губу, прошептала я, на глаза навернулись слезы. Я шмыгнула носом и полезла за платком.

— А чего плохо-то? — растерялся Лом.

— Не хочу я здесь... — пожаловалась я. — Лежу одна целыми днями, а ночью так страшно, уснуть не могу...

— А дома тебе весело будет, — влезла Танька. — Лом свалит на целые сутки, а ты одна валяйся и жди, явится или нет.

— Дома это дома, — сказала я, вытирая платочком глазки.

— Тебе лечиться надо... — нахмурилась подружка.

— Я себя нормально чувствую. Правда...

Лом вертел головой, поглядывая на нас и силясь что-нибудь понять.

— Домой не пущу, — вдруг заявил он. — Ко мне поедешь.

Мы дружно вздохнули, до любимого все доходило с большим опозданием.

— А мы про что говорим? — взъелась Танька.

— А-а-а, — протянул он. — Воспаления легких нет?

— Бог миловал. — Бестолковость Лома ее злила, и скрывать это она отнюдь не собиралась.

— А температура?

— Тоже нет.

— Ясно. — Он поднялся и вышел из палаты.

— Ну и? — спросила я.

— Рожу его видела?

— К несчастью...

— Что к несчастью? Да он так растерялся...

— Нам-то что с того?

— Терпение иметь надо... — Мы еще немного поворчали друг на друга, тут вернулся Лом.

— Поехали, — сказал он с порога.

— Куда это? — ахнула Танька.

— Домой. Чего ей здесь валяться? Я в коридоре врачиху поймал, будет к нам ездить каждый день, до окончательного выздоровления то есть.

— Да ты чокнулся, что ли? — рявкнула Танька.

— Перестань кричать, — подала я голосок. — Не хочу я здесь оставаться... Дома скорее поправлюсь.

— Как же... — начала Танька, но ее уже никто не слушал. Я поднялась с кровати и тут кое-что сообразила.

— Гена, — выдохнула растерянно. — У меня же ничего нет, кроме рубашки...

Лом раздумывал двадцать секунд, потом сказал Таньке:

— Поехали за шмотьем.

— Вы побыстрее, ладно? — жалобно попросила я, продолжая изображать принцессу в заточении.

— Мы мигом, — заверил Лом. Они с Танькой удалились, а я сладко потянулась и стала прикидывать, как вести себя дальше.

Мелочным Лом никогда не был, потому вернулись они часа через два. Танька довольно ухмыльнулась и, улучив момент, шепнула:

— В машине места нет... А ты не верила, что прорвемся...

Она вытряхнула содержимое сумки на кровать, а я, приподнявшись в постели, стала одеваться. Чувствовала я себя хорошо, но на всякий случай дышала с трудом и время от времени утомленно прикрывала глазки.

— Зря вы это затеяли, — вздохнула Танька, заметив мое томление. — Полежала бы еще немного...

— Нет, хочу домой, — заявила я.

Покинув больницу, мы поехали к Лому.

— В холодильнике поди мышь сдохла? — проворчала Танька, завидев универсам.

— В магазин заедем, какие дела?

Я сидела сзади, Лом без конца пялился на меня в зеркало, а я была тиха и задумчива.

— Давай-ка сразу укладывайся, — сказала Танька уже в квартире. Я доверчиво взглянула на любимого.

— Куда мне?

— В спальню, — слегка растерявшись, ответил он и сурово посмотрел на Таньку. Та женщина мудрая, чужие взгляды понимает и потому через несколько минут отбыла.

Я устроилась в спальне на широченной Ломовой кровати, а он спустился к машине и вернулся нагруженный, как верблюд. Приткнул пакеты на полу и, кивнув на них, пояснил:

— Вот, купил тебе кое-что...

— Спасибо, — скромно сказала я и стала смотреть за окно, а Лом начал томиться.

— Может, тебе чего надо? — минут через десять спросил он. — Телек включить?

— У меня от него голова болит, — пе-

чально ответила я и попросила: — Завари
чаю. С лимоном, если есть...

— Забыли про лимон. Сейчас съезжу.

— Не надо, — попыталась я его останo-
вить.

— Да тут ехать-то... — Лома явно тянуло
на подвиги.

— Ты только побыстрее, — душевно протянула я.

Через полчаса мы пили чай, устроившись
в спальне, я в постели, Лом в кресле. Очень
скоро он не выдержал и спросил:

— Чего ты такая тихая?

Я пожала плечами.

— Плохо мне. Никого у меня нет, кроме
Таньки. Раньше об этом не задумывалась, а
пока лежала в больнице, разные мысли лезли
в голову... Совсем одна я. Вот так случись
чего... — В этом месте я смахнула несущест-
вующую слезинку.

— А чего случится-то? — не понял Лом.

— Да что угодно... Родственников нет, ни
мужа, ни Аркаши...

— Нашла кого вспомнить, — фыркнул
Лом.

— Он обо мне заботился, — жалобно сказала я. — И, между прочим, никогда не бил.

— А я бил и буду бить, — утешил Лом, —
потому что с тобой по-другому никак нельзя. Баба ты подлая, хоть у тебя и вид сейчас,
как у святой невинности. Только на меня
все это не действует. Я тебя знаю как облупленную...

— Ничего ты не знаешь, — обиделась я.

— Знаю, знаю... И щенка я тебе ни в жизнь не прощу, на том свете вспомню.

«Неужто и на том свете мы по соседству будем?» — подумала я, а вслух сказала:

— Ты сам виноват...

— Что? — удивился Лом.

— Что слышал. Я сколько лет тебя любила, а тебе и дела нет.

Лом поперхнулся чаем, а откашлявшись, покачал головой:

— До чего ты, Ладка, баба наглая...

— Нечего прикидываться и дурака из себя строить, — разозлилась я. — Ты вспомни, сколько лет я на тебя глаза пялила. Говорить такое было невероятной наглостью, только ведь, когда имеешь дело с дураком, ходить вокруг да около бесполезно, намеков любимый не поймет, а вздохи растолкует по-своему. Я взглянула в его глаза и добавила: — Влюбилась я в тебя, как кошка.

— Ты? — Его аж перекосило от возмущения. — Да ты меня по имени и то ни разу не назвала.

— По имени тебя многие зовут, а вот Ломиком я одна.

— Ага. Вкручивай. На меня глаза пялила, а с Димкой спала.

— Сам виноват, — повторила я. — Я, между прочим, женщина, а не манекен с выставки. Мне хотелось, чтобы меня кто-то любил. С мужем не повезло, от Аркаши толку мало, а тут Димка. Я, как и всякая женщина, мечтала, чтоб все по-настоящему, по-человечески было. А с тобой что? Нужна тебе любовь? Глотку залить, да в кабаке бабам подолы задирать...

— Конечно, — с обидой сказал Лом и отвернулся к окну. — Не человек я вовсе.

— На правду нечего обижаться, — наставительно заметила я.

— Много ты знаешь правды-то. Не верю я тебе. Димку из тюрьмы вытащила, с ним сбежала. Просто так, да?

— Перед Димкой я, конечно, виновата. Пока в тюрьме был, вся душа изболелась: ведь из-за меня беда вышла. А приехали в Минск, все по-другому оказалось. И Димка не нужен, и о тебе ночи напролет думала. Потому и Таньке позвонила.

— Вот так я тебе и поверил, — усмехнулся Лом.

— Ну и не надо, — обиделась я и стала молча пить чай.

Лом хмурился, разглядывая меня исподлобья, и заявил наконец:

— Знаю я, чего ты мне мозги крутишь. Без штанов осталась, вот и запела. Хочешь делом заправлять, вот что...

— Я в дела никогда не лезла. Просил Аркаша совета, я советовала, врать не буду. А дела мне ваши без надобности. И вообще, я устала и разговаривать с тобой больше не хочу. — Я отставила чашку, легла и отвернулась.

Лом вышел из спальни и с полчаса слонялся по квартире. Потом явился опять.

— Ладка, может, поешь чего? — спросил с порога.

— Не хочу, — хмуро ответила я.

— Танька говорит, тебе эти... витамины нужны.

— Танька — дура.

Лом хотел уйти, но в спальне ему точно медом намазали. Он потоптался у двери и подошел ко мне.

— Полежу немного. Башка чего-то болит...

«Было бы чему болеть», — мысленно хмыкнула я, но промолчала. Лежала с закрытыми глазами и ждала, что будет дальше. Лом устроился рядом, не раздеваясь, пялился в потолок и напрягал свои полторы извилины. Судя по всему, очень он был озадачен.

— Врешь ты все, — брякнул наконец где-то через полчаса.

— Что вру? — пришлось мне удивиться.

— Все. Нашла дурака — тебе верить.

— Ну и не верь, — обиделась я и опять отвернулась.

Ночью Лом почти не спал, ворочался, чем очень действовал мне на нервы. Ко мне не лез, и это было действительно странно. Утром я позвонила Таньке и доложила о достигнутых успехах.

— Лед тронулся, — обрадовалась она. — Главное, чтобы мысль эта засела в его глупой голове, а дальше — дело техники.

— Не желают они мне верить... — съязвила я.

— Еще как желают, — хмыкнула Танька. — Я тебе еще когда говорила: от твоих небесных прелестей он спятил давно и надолго.

— Ладно, — я вздохнула. — Что дальше делать прикажешь?

— Пеки пирог.

— Что? — опешила я.

— Говорю, пирог пеки, корми любимого. Прояви женскую заботу и ласку.

— Да ты вконец ополоумела, — разозлилась я. — Какой пирог? Я их отродясь не пекла.

— Ничего, заскочу с работы, сляпаем. А ты подсуетись: закати торжественный ужин со свечами... Лом в конторе?

— Откуда мне знать, где его носит. Лучше б вовсе пропал.

— Типун тебе на язык. Я возлагаю на Ломика большие надежды.

— Вот и возлагай, — посоветовала я и повесила трубку. Сидеть в четырех стенах скука смертная. Я прошлась по квартире и решила попытаться придать ей вид нормального человеческого жилья. Какое-никакое, а все-таки занятие и для дела польза.

Танька заскочила в обед и испекла пирог, записав мне рецепт на листке бумаги. Рецепт я сразу же выкинула, а пирог мне понравился, и я вооружилась ножом.

— Ну что ты делаешь? — хлопнула меня по руке Танька. — Это для любимого.

— Чтоб он подох, — вздохнула я, но нож убрала.

— Прекрати каркать. Ломик не просто еще один придурок, это дар небес. Да второго такого во всем свете не сыщешь.

— Это точно, — кивнула я.

Лом вошел в квартиру и подозрительно принюхался. Я выглянула из гостиной, нерешительно улыбнулась и сказала капризно:

— Я думала, ты пораньше придешь.

Лом хмуро и настороженно прошелся по квартире, забрел на кухню, увидел накрытый стол с пирогом посередине, повернулся ко мне и спросил:

— Это что?

— Ужин, — пожала я плечами. — Попробуй без дела целый день посидеть... А вот это список того, что необходимо купить, чтобы превратить сарай, в котором ты живешь, в нормальную квартиру.

На список Лом не взглянул, заявил с довольно подлой усмешкой:

— А мне и так нравится. И я уже ужинал.

— Да? — Я взяла скатерть за четыре угла и вместе со всем, что стояло на столе, вынесла в мусоропровод, почти испытывая злобную радость от того, что Танька зря старалась. Правда, пирог я так и не попробовала, но не беда.

— Ну и что? — спросил Лом, когда я вернулась.

— Ну и ничего, — ответила я и отправилась в ванную. Пробыла я там довольно долго, а выйдя, застала Лома перед телевизором. Он посмотрел на меня и рявкнул:

— Ты как? Температуры нет?

— Была с утра, — хмуро ответила я, после чего ушла на кухню, сделала себе бутерброд с икрой и села на стул, закинув ногу на ногу и играя тапкой. Лом, само собой, притащился следом. Никакого наглого самодовольства на роже, скорее нерешительность и некое томление. Я поняла, что долго он не продержится, и заскучала. Генка сел напротив и как-то вскользь сказал:

— Чем днем занималась?

— А что, не видно?

— Видно. Здорово получилось, правда...

— Ничего не здорово. Где ты набрал этой рухляди? На дешевой распродаже?

— Мне больше делать нечего, как по магазинам шустрить... — покачал головой Ломик.

— И чем ты таким особенным занят, что тебе так некогда? — удивилась я. — Штаны в конторе просиживаешь? Добро бы в дело...

Лом не обиделся, посмотрел на меня и вдруг сказал:

— Лад, я посоветоваться хотел. Тут такое дело...

Я мысленно усмехнулась — то-то Танька обрадуется, оставила в покое тапку и стала внимательно слушать.

Утром Лом, бреясь в ванной, окликнул меня. Я подошла, встала рядом.

— Ты чего купить-то хотела? — с чуть заискивающей интонацией спросил он.

— Список на холодильнике.

— Может, вместе съездим, вдруг куплю чего-нибудь не то, будешь злиться...

Я пожала плечами:

— Хорошо, поедем...

В магазинах Лом вел себя на удивление терпеливо, подозреваю, что он получал удовольствие от нашего похода. Поначалу я только изображала интерес, а потом действительно увлеклась, точно и в самом деле собиралась жить в ненавистной Ломовой квартире.

К вечеру Ломик собрался в контору.

— Ужин приготовить? — стоя к нему спиной, поинтересовалась я. — Или ты поздно?

— Готовь, — кашлянув, ответил он и покинул меня. Я хохотнула и стала разбирать покупки. Если Танька не ошибается и Лом таит в душе большую любовь ко мне, сегодня ему придется туго.

Ужин удался на славу. Я вырядилась в новое платье и осталась собой чрезвычайно довольна.

Когда любимый вернулся, накрыла на стол и скромно уселась в уголке, глядя на него с большой нежностью. Лом жевал, хмурился, а под конец со вздохом заявил:

— Красивая ты баба, Ладка...

— Это плохо? — удивилась я.

— Не знаю, — опять вздохнул Лом. — Одно беспокойство...

— Найди себе какую-нибудь уродину, — посоветовала я.

— Я чего искал, то нашел, — заявил он. — Одно плохо — веры тебе никакой.

— Опять двадцать пять, — тяжело вздохнула я. — Ведь все же объяснила.

— Ты объяснишь... — начал злиться любимый.

Я подошла к нему, раздвинула его колени, устраиваясь поближе да поудобнее, и сказала:

— Заткнулся бы ты ненадолго да делом занялся. — Пока Лом соображал, что на это ответить, я его поцеловала и добавила: — Я так по тебе скучала...

Ломик включил ночник, которым не так давно получил по пустой голове, и стал меня разглядывать. Дышал с трудом, и по роже было видно, что страшно доволен. Еще бы... Я только что из шкуры не выпрыгнула.

— Ну как, угодил? — спросил он, а я засмеялась, потянулась и животик погладила.

— Угодил, не то слово. — Тут я обняла его покрепче и мурлыкнула: — Я под тобой сознание теряю...

— Орала ты — будь здоров, — подтвердил он и полез целоваться, а я блаженно запрокинула головку, а потом жарко зашептала ему на ухо что-то в высшей степени непристойное. Любимый был доволен, благодушен и чрезвычайно ласков. Я решила немного поэкспериментировать.

— Пить хочу, — сказала капризно, потягиваясь в его руках.

— Чего принести? — с готовностью спросил он.

— Молочка холодненького.

— Тебе нельзя холодное, опять заболеешь.

Молоко он принес заботливо подогретым.

— Есть хочу, — сказал он, забирая из моих рук пустой стакан, и без перехода спросил: — То, что ты говорила, правда? Хоть немного?

— Что? — не поняла я.

— Ну, что ты меня любишь, — слово ему далось с трудом, еле выговорил. Ничего, я тебя обучу, по двадцать раз на день будешь мне его твердить.

— А ты как думаешь? — ласково спросила я. Он помолчал, посмотрел серьезно.

— Не знаю. То, что тебе со мной, как с мужиком, кайф, это я чувствую, а остальное...

Он нахмурился, искоса взглянул... Глуп был Лом, и в мои слова поверить ему хотелось. Я прижала его голову к груди, по волосам погладила и замурлыкала:

— Я люблю тебя... Разве ты не чувствуешь? Злишься за старое, а то, что я по тебе с ума схожу, не видишь. Ну, не дурачок ли ты?

Он голову поднял, уставился в мои глаза, долго смотрел, лицо сделалось каким-то потерянным, обнял меня, прижался теснее и сказал:

— Ладуль, поклянись, что правду сказала. Поклянись, я поверю.

Я засмеялась, ласково, по-собачьи лизнула его в шею и поклялась:

— Век свободы не видать.

Как сказала, так и вышло.

Через месяц сыграли свадьбу. Танька, само собой, была свидетельницей и чему-то радовалась. Как я и предполагала, Лом попытался сделать из свадьбы зрелище, напоминающее коронацию, но я этому воспрепятствовала, настояв на скромной церемонии.

Очень скоро влюбленный Лом стал действовать мне на нервы больше, чем бешеный, и времена, когда мы дрались да ругались, я вспоминала как лучшие дни своей жизни. Танька, напротив, веселилась и потирала руки.

— Что я тебе говорила, заживешь как в сказке.

— Хороша сказка, — злилась я.

— А чего тебе надо? Деньги тратишь сколько хочешь, муж любит, без тебя шагу не ступит, все Ладушка да Ладушка. Мужики, и те говорят, что Лом на своей бабе помешался.

— Надоел он мне, — рявкнула я.

— Ну, милая... — Подружка нахмурилась.

— Танька, давай подумаем, как от Лома избавиться.

— Что значит «избавиться»? — насторожилась она.

— То и значит: я хочу быть вдовой.

— Спятила? Дела в гору пошли, Лом тебя слушает, души не чает, чего тебе еще? Да любая баба только бы радовалась такому-то мужику.

— Вот и забери его себе, — съязвила я.

— С радостью, да он от твоей задницы последних мозгов лишился... Вчера его встретила. Шубу волокет, рожа довольная. «Ладуле подарок», — передразнила Танька Лома, — а сам так и светится.

— Он дом затеял строить, — пожаловалась я. — Танька, избавь меня от этого придурка, пока он все мои деньги по ветру не пустил. Ведь все равно ничего путного не построит...

— А ты сама займись... подскажи. Он тебе муж и рассуждает правильно: чего женатому человеку в трех комнатах тесниться? Детки пойдут...

— Заткнись, дура, — снова рявкнула я и даже замахнулась.

Танька хохотнула и сказала:

— С жиру бесишься. Лом — мужик золотой, если с ним по-умному...

— Он почти что идиот.

— А тебе кто нужен? Был у тебя умный, Димой звали. То-то ты через две недели с тоски пухнуть начала...

— До чего ж ты подлая баба, — покачала я головой. — Не хочешь помогать, не надо, сама справлюсь.

Танька испугалась.

— Ладка, ты дурака-то не валяй. Лом хоть и недоумок, но, если заподозрит, что ты ему опять вкручиваешь, третий раз не простит. И рада будешь все назад вернуть, да не выйдет. Слышишь?

— Слышу, — недовольно ответила я.

— То-то. Уж сказала, что любишь, вот и люби.

— Он у меня подавится любовью.

Танька развеселилась и заявила:

— Это вряд ли. Лом мужик крепкий...

— Иди-ка ты домой, — заявила я.

Подружка обиделась:

— Ну чем он тебе так досадил? Красавец, здоровья на семерых, баксов целые карманы... Ну дурак, что ж теперь... Оно и лучше. Ладушка, ты баба умная, а с дураком всегда проще... Дела идут, и, если рот не разевать, мы с тобой быстренько все к рукам приберем.

— Я хочу быть вдовой, — напомнила я. — Сыщи киллера, заплачу любые деньги, лишь бы от этой подлюги избавиться...

— Не ко времени, — жалобно застонала Танька.

— Я тебя предупредила: не хочешь помочь, сама за дело возьмусь...

— Что, сама стрелять начнешь? — удивилась подружка.

— Нет, буду любить сильнее и крепче, — усмехнулась я. — Ревновать начну. Допеку, сбежит сломя голову.

Танька с сомнением покачала головой.

— Бабы на стороне у Лома нет. Мне бы донесли... Я ж говорю, он свихнулся, ты у него на уме и светлым днем, и темной ночью.

— Вот я его и порадую, — пообещала я Таньке, она хохотнула и головой покачала.

Оставшись одна, я стала бродить по квартире, составляя план военной кампании. Подружка была права, Лом окончательно свихнулся: клялся в любви, шарил по мне глазищами и без конца терся рядом. Никакого покоя. То звонит, то вдруг заявится, когда его не ждешь и хочешь отдохнуть в тишине, а тут крутись и изображай безумно влюбленную. Чуть замешкаешься с этой самой любовью, он уже в глаза заглядывает и подозрительно спрашивает:

— Ладуль, ты чего такая? Настроение плохое?

В целях собственной безопасности я начинала демонстрировать хорошее настроение и повышенную готовность к любви.

Поначалу я себя утешала, что это должно Лому быстро надоесть. Но как бы не так. Если продолжать в том же духе, через пару месяцев выйдет, что одеваться по утрам просто не имеет смысла. Его подарки доставали меня не меньше его любви, он тащил в дом все подряд, совершенно не думая, нужно мне это или нет. Подаркам надлежало радоваться, в противном случае Лом грустил и приставал с вопросами:

— Ладуль, не понравилось? А чего ты хочешь?

У меня был только один ответ: хочу стать вдовой. Танька отказывалась помочь, а мне такое дело не по силам. Значит, выход один — допечь Лома ревностью, но и тут Танька права: как на грех, он оказался примерным семьянином, все его бабы разом куда-то исчезли, даже по телефону никто не звонил. Но надежды я не теряла. Если желание есть, всегда найдешь к чему придраться. Я решила начать в тот же вечер.

Лом явился часов в восемь. Услышав, как хлопнула дверь, я выплыла из гостиной. Лом полез целоваться. Я не проявила энтузиазма и поинтересовалась с некоторой суровостью:

— Ты где был?

— В конторе, — удивился Лом.

— Я пять раз звонила, тебя там не было.

— Выезжали по делам пару раз... А чего?

— Ничего. Что за дела?

— Сейчас расскажу... Ладуль, ты чего такая?

— Нормальная. Звоню, тебя где-то носит. Со Святовым шарахался? У него одни бабы на уме, и ты туда же?

Глаза Лома медленно, но уверенно полезли на лоб.

— Ты чего, Ладуль? Какие бабы? Да мне

даром никто не нужен, век свободы не видать...

— Ломик, — сказала я, повышая голос, — спаси господи, узнаю что. Мало тебе не покажется...

— Ладуль?.. — завопил он, но я его перебила:

— Мой руки, садись ужинать и рассказывай о делах.

Он потрусил в ванную, вернулся, сел напротив, заглядывая мне в глаза. Рожа просто сияла от счастья. «Ладно, первый блин всегда комом», — утешила я себя.

На следующий день Лом бодро отзывался на все звонки, заезжал домой чуть ли не каждый час и сам звонил без перерыва. Покоя в доме не стало никакого. Танька веселилась:

— Ломик жутко довольный... Вчера мне жаловался: Ладка чокнулась, ревнует, шагу ступить не дает, а у самого рожа так и светится, ума не хватает скрыть свою глупую радость.

— Ничего, — прорычала я. — Это только начало.

Через месяц мне повезло. Звоню в контору, трубку взял какой-то парень, кто, по голосу не узнала.

— Где Лом? — спрашиваю.

— Здесь.

— Где здесь? — разозлилась я.

— В кабаке сидит.

— С бабами?

Парень замялся:

— Там полно народу, чего-то празднуют.

Я трубку бросила и за пять минут собралась в дорогу. В конторе меня давно не видели, и потому ребята у дверей малость растерялись.

— Где? — рявкнула я и пошла в зал, на ходу швырнув кому-то шубу. В самом центре за двумя сдвинутыми столами шло веселье, человек пять мужиков и четыре девицы, с виду вполне приличные. Лом сидел с краю, отодвинувшись от стола, нога на ногу закинута, руки на коленях. Жизнью вроде бы доволен. Я стремительно направилась к нему.

Меня заметили. Лом тоже голову повернул и только собрался пропеть свое дурацкое «Ладушка», как я, подойдя вплотную, рявкнула:

— Которая из них?

Могу поклясться — Лом испугался.

— Лада, — начал он, разводя руками.

— Кто? — повторила я, переводя взгляд с муженька на девиц за столом. Все замерли и вроде бы лишились дара речи, в том числе и любимый, то есть он пытался что-то произнести, но выходило как-то нечленораздельно.

— Не желаете отвечать? — улыбнулась я. — Вам же хуже, родные...

После этого я ухватилась за скатерть и стащила ее на пол. Женщины завизжали, мужики начали материться, а я, сказав:

«Гуляй, любимый», — и победно вскинув голову, выплыла из кабака.

Кто-то подскочил с шубой, и, пока я принимала ее из чужих рук, появился Лом. У меня сжалось сердце — муженек в гневе страшен, а сейчас он должен гневаться. Увидев его физиономию, я глухо простонала.

— Лада, ты чего, сдурела, что ли? — торопливо начал Лом, хватая меня в охапку.

— Я тебя предупреждала, — прорычала я.

— Да ты что? У жены Зверька день рождения, я подошел только поздравить, люди приглашали, вроде не чужие... Выпил рюмку, пять минут посидел, уже домой собрался...

— Врешь ты все, — рассвирепела я.

— Ну что ты вытворяешь! — всплеснул руками Лом, чем очень напомнил мою бабушку. — У людей праздник...

— Я тебе не верю, — жалобно сказала я на всякий случай.

— О господи, я тебе сто раз повторял: мне никто, кроме тебя, не нужен. — Я вроде бы застыдилась, а Лом полез целоваться. — Ладушка, солнышко, ну чего ты? Ей-богу, у Витькиной жены день рождения, вот и сидят с друзьями, не веришь, сама спроси... Хочешь, паспорта покажут?

Здесь мне стало по-настоящему стыдно, а что, если женщины за столом действительно с мужьями и я им праздник испортила?

— Врешь? — с надеждой спросила я.

Лом тяжко вздохнул. Я извлекла платок

из сумки и аккуратно заплакала, жалуясь при этом на жизнь:

— Звоню тебе, а какой-то дурак мне говорит: он в ресторане. Я испугалась, спрашиваю: «С бабами?» — а он что-то плести начал. Я чуть с ума не сошла. А ты сидишь здесь, и эта крашеная рядом...

— Да на фига она мне? — опять всплеснул руками Лом.

— Правда с женами сидят?

— Ну...

— Геночка, что ж я наделала, а? — очень натурально испугалась я.

— Ничего, подумаешь... Сейчас столы по новой накроют, кончай реветь. Пойдем, я тебя со всеми познакомлю, чтоб, значит, мыслей не было.

— Мне стыдно, — пролепетала я.

— Еще чего? Да хоть разнеси весь кабак к чертовой матери. Кто здесь хозяин? Кому не нравится, пусть выметаются. Пошли. — Лом ухватил меня за руку.

— Гена, — зашептала я, — отправь кого-нибудь за цветами для именинницы.

Лом кивнул и тут же подозвал лохматого парня.

За столом царило молчание, стол был накрыт, но весельем не пахло.

— Извините, — сказала я и улыбнулась. — У меня скверный характер, и я слишком люблю своего мужа.

С некоторой робостью выпили за именинницу. Потом явился парень с букетом, народ понемногу оживился. Лом сиял, как тульский самовар, и больше обычного действовал мне на нервы.

Когда я стала получать хоть какое-то удовольствие от общения с людьми, он потащил меня танцевать и зашептал на ухо:

— Поехали домой, ну их всех к черту...

Я немедленно изобразила боевую готовность и буйный восторг, думая при этом: «Чтоб тебя, гада, черти слопали...», но это было не все. Лом решил доконать меня в тот вечер. Только сели в машину, он достал с заднего сиденья огромный букет и сунул мне. Я охнула, взвизгнула и замерла от счастья. Невыносимо довольный Лом заявил:

— Что ж я буду гонять мужиков за цветами для чужой бабы? А родную жену без букета оставлю? — Тут он полез целоваться и сразу пристал: — Ладушка, ты меня любишь?

«До смерти», — очень хотелось сказать мне.

Итак, ничего путного с рестораном не вышло. Вся надежда теперь была на баню. Парился Лом с дружками не реже раза в неделю, и, по моим представлениям, не столько грязь с себя счищали, сколько пьянствовали. А где водка, там и бабы. По крайней мере, я на это очень рассчитывала и вторника ждала как манны небесной. Лом меня расцеловал и, пообещав в девять вернуться, отбыл. Выждав пару часов, я, сгорая от нетерпения, отправилась за ним. В тихом переулке в здании начала века размещался так называемый спортивный клуб. Спортивным только и было что вывеска. Правда, существовал еще зал с тренажерами, но главное, конечно, сауна. Клуб был привилегированный, кого попало сюда не пускали. Я подошла к металлической двери и нажала кнопку звонка.

— Чего надо? — спросил мужской голос.

— Открывай, придурок! — рявкнула я.

— Я тебе сейчас открою, — пообещал он и вправду открыл, потом выкатил глаза на глупой роже и промямлил: — Чего?

— Лом здесь? — грозно спросила я, влетая в коридор. Кто-то очень бойкий загородил мне дорогу.

— Нельзя.

— Уйди, мальчик, — ласково улыбнулась я. Парень протянул было руку, а я зловеще добавила: — Только тронь, Лом тебя на куски разрежет.

Парень отдернул руку, кто-то еще более прыткий заспешил к двери в глубине коридора, я тоже ускорила шаг, и вошли мы почти одновременно. Муженек в компании четырех таких же придурков пил пиво, развалясь на махровых простынях. Ни тебе женского визга, ни лифчика на крючке, клуб пенсионеров, да и только. Я побледнела от злости, Лом съездил себе по зубам горлышком бутылки, а остальные как открыли рты, так и замерли.

— Извините, — пролепетала я и брякнула: — Гена, у меня срочное дело. — Развернувшись на пятках, я спешно покинула помещение.

Села в машину, прикидывая, где лучше скандалить с Ломом? Дома или здесь? Баню он покинет не скоро, у меня есть время продумать реплики. Он скажет что-нибудь вроде: «Ты меня перед друзьями позоришь», я отвечу на это: «Если тебе твои друзья дороги, с ними и спи...» После этого муженек должен разгневаться, и мы начнем жить как люди: скандалить и разводиться, а главное, прекратим это дурацкое строительство дома.

Я еще только третью реплику придумала, когда Лом выскочил из клуба. Куртка нараспашку, и вид такой, точно за ним черти гонятся. Пожалуй, мне не поздоровится. Я ведь хочу, чтобы он меня бросил, а не колотил смертным боем.

Лом сел рядом, посмотрел на меня и головой покачал:

— Ну, чего ты вытворяешь, а?

— Я думала, ты с бабами, — виновато зашмыгала я носом.

— Какие бабы? Сколько раз тебе говорить: никто мне не нужен. Хочешь, я тебе каждые пятнадцать минут звонить буду?

— Ты позвонишь, в обнимку с какой-нибудь кикиморой...

— Ну что за черт в тебя вселился? Одна глупость в башке...

— Не ори на меня, — обиделась я.

— Я не ору. Чего ты себя изводишь? Выдумала каких-то баб... Да на черта они мне... Я тебя люблю...

— Я тоже тебя люблю, Геночка! — запричитала я, прижимаясь к нему. — Пока ты рядом, все хорошо, а как уйдешь, сразу мысли всякие, где ты и с кем ты... Сны мне плохие снятся...

Лом меня обнял и принялся наглаживать.

— Дури в голове много, вот и снится всякая чертовщина...

— Ты на меня не злишься? — жалобно спросила я и о дружках решила напомнить: — Мужики-то что скажут...

— В гробу я их видел. Пусть попробуют пасть открыть, если зубов много..

В общем, баня тоже пролетела с треском. Но надежды я не теряла. Оставались еще карты.

Как-то в субботу Лом вернулся позднее обычного. Мы с Танькой ходили в театр, вернулись поздно, а муженька дома не оказалось. Я села в кресло с книгой и стала его ждать.

— Ладуль, ты не спишь? — крикнул он часа через три, хлопнув дверью.

Я появилась в прихожей, встала подбоченясь и спросила:

— Ты знаешь, который час?

— Да мы в картишки перекинулись, — подхалимски сообщил Лом, аккуратненько подбираясь ко мне.

— Серьезно? — хмыкнула я. — В следующий раз можешь вообще не приходить. Здесь тебя ждали не в два, а в десять.

Я вскинула голову и уплыла в спальню,

заперла дверь и легла в постель. Лом поскребся и заканючил:

— Ладуль, ну ты чего? Я ж звонил, ты знала, где я...

— Я беспокоилась...

— Ну сказала бы, я сразу бы и приехал... думал, вы с Танькой в театре, не спешил.

— По-твоему, театр до двух? Между прочим, путные мужья в театр с женой идут, а не в карты режутся со всякой пьянью.

— Хорошо, пойдем в театр, — вздохнул Лом за дверью. — И я вообще не пил. Ни грамма. Можешь проверить...

— Очень надо, — фыркнула я. — Топай туда, откуда пришел.

— Ладуль, кончай, а? Открой дверь, пойдем в театр, еще куда-нибудь, хоть к черту, только не злись. Очень прошу... — Я молчала. Лом пару раз дверь пнул и начал свиреть. — Открой, пока я все здесь не разнес к чертовой матери...

После третьего удара дверь открылась, а я на всякий случай заревела. Лом замер у порога и развел руками:

— Здрасьте, я еще и виноват... Ну чего ты ревешь?

— Ничего, — обиделась я.

Лом бухнулся на пол, сгреб мои руки в свои лапищи и запел:

— Ладушка, красавица моя, солнышко, давай мириться... — Я только вздохнула.

На следующий день я размышляла, куда поставить новую вазу, и все на часы поглядывала. Время позднее, а Ломик сидит перед телевизором и никуда не собирается.

— Ты пойдешь в контору? — с надеждой спросила я.

— Не-а. Чего там каждый вечер сидеть. Телефон есть. Позвонят, если что...

Я выронила вазу, она разбилась, а я, как обычно, заревела. Лом вскочил, развел руками и сказал:

— Ладуль, ну чего ты? Да я тебе таких ваз десяток куплю.

«Хочу быть вдовой!» — мысленно простонала я.

В субботу явилась Танька. Над моими попытками уличить мужа в измене она потешалась, и потому в последнее время мы виделись нечасто.

— Пойдем на кухню, — кивнула я.

— Ломик дома? — спросила Танька, надевая тапки.

— Дома, видак смотрит.

— Что за фильм?

— «Король-лев», — ответила я.

— Название какое-то чудное. Приключения, что ли?

— Нет, это мультик.

Танька хрюкнула и развела руками:

— Ну любит человек мультфильмы, что ж его теперь, убить за это?

— Вот именно, — прошипела я. — Добром прошу, найди киллера.

— С жиру ты бесишься, — покачала головой подружка. — Мужик с тебя не слазит, деньжищ море, чего еще надо? Вот почему так — я из кожи вон лезу, и все без толку? Не только путным мужикам, а и бандитам без особой надобности. А перед тобой любой мужик по струнке ходит! Взять хотя бы Ломика: зверюга, ребятки его до смерти боятся, а дома что твоя болонка — тихий, ласковый и все в глазки заглядывает: «Ладушка, хочешь апельсинчик?» — пропела Танька с дурацкой Ломовой интонацией. — Тапки подает и хвостом виляет. — Танька плюнула и добавила: — Никакой справедливости в жизни.

— Сил моих больше нет, — заныла я. — Найди киллера, не то руки на себя наложу. Не могу видеть этого недоумка. — Я заревела.

Танька тяжко вздохнула и сказала:

— Хорошо. Найду. Будешь вдовой бандита, а я останусь деловой женщиной областного масштаба. Скука смертная, но что делать...

— Сил моих больше нет, — повторила я.

— Ладно, чего реветь-то? Сделаем тебя вдовой... Я ж для тебя что угодно, хотя, конечно, если бы кто моего совета спросил... Все-все, глазами не зыркай. Сделаю как скажешь. Считай, Лом покойник.

— Правда? — обрадовалась я, вытирая глаза.

— Я тебя когда обманывала?

— Танька, ты не злись, — принялась я канючить. — Глаза мои на него не смотрят, я уж и так и эдак, а он точно репей...

— Не реви. Все сделаем.

Только я воспряла духом, на кухне появился Лом. Посмотрел на нас по очереди, нахмурился.

— Геночка, ужинать будешь? — засуетилась я.

— Не буду, — сказал он и на Таньку накинулся: — Чего притащилась? Звали тебя?

— Звали, не звали, тебе что за дело? Или неймется? Потерпишь немного...

— Топала бы ты домой, таскаешься на ночь глядя...

— Грубый ты человек, Лом. Как с женщиной разговариваешь?

Танька обиделась и ушла.

— Зачем прибегала? — спросил муженек, когда за Танькой дверь закрылась.

— Просто так, — пожала я плечами.

— Ага. А чего у тебя глаза красные? — Пока я соображала, что бы такое ответить, Лом грохнул по столу кулачищем и спросил: — Что, хахаль твой объявился? Соскучился?

Я подпрыгнула от неожиданности. Смотреть на Лома было страшно: морда злая, кулаки сжал. Переход от ласковой дворняги к взбесившемуся доберману был так стремителен, что я растерялась.

— Я тебя спрашиваю? — рявкнул он. — Язык проглотила?

Если Лом впадал в бешенство, пережить это было трудно даже зрителям, а быть объектом его буйного гнева я бы и врагу не пожелала. Сейчас, судя по налитым кровью глазам и перекошенной физиономии, мне предстояло быть и зрителем, и объектом.

— Геночка, — пролепетала я, но он не пожелал слушать.

— Что она тебе напела и отчего ты реветь удумала?

Тут я перепугалась по-настоящему, зарыдала и сдуру брякнула:

— Ребеночка я хочу, а не получается...

Лом ошалело замер, выпучил глаза, но кулаки разжал. Я устроилась в кресле, размазывая слезы и громко вздыхая.

— Ладушка, — побрел он ко мне с видом побитой собаки. — Ну ты чего, а? Посмотри на меня... Солнышко... Нашла кому на жизнь жаловаться, а я на что?

Я обняла любимого и уткнулась в его шею.

— У нас свои разговоры, хотела посоветоваться...

— Много толку от твоей Таньки. Ладуль, ты же эти... таблетки пьешь...

— Не пью давно, — нагло соврала я.

— Ну и не забивай ты себе голову. Ты к врачу ходила?

— Ходила.

— Что сказал?

— Все нормально.

— Вот и хорошо. Про себя я точно знаю, так что реветь завязывай. Будет тебе ребенок, чтоб мне пропасть.

Разумеется, Лом тут же принялся демонстрировать свою готовность стать отцом, а я тихо радовалась. Таньке я верила свято: если она сказала, что я буду вдовой, значит, можно шить черное платье.

Ожидая кончины любимого со дня на день, я относилась к нему с особой нежностью. Хотелось сделать ему приятное, приласкать и вообще осчастливить напоследок. Лом с видом законченного идиота болтал, как заведенный, о будущих детях и нашем новом доме. Я слушала его с улыбкой, думая о том, что новый дом для него будет малость тесноват, но зато надежен и крепок. Об этом я позабочусь.

Я присмотрела себе платье и решила, что в роли вдовы буду выглядеть восхитительно. Каждый день звонила Таньке и просила поторопиться. В конце апреля она пришла и сказала с порога:

— Завтра.

— Правда? — ахнула я, боясь поверить своему счастью.

— Бабки приличные...

— Заплачу сколько скажет... Танька, что бы я без тебя делала? — подхалимски сказала я, обнимая ее.

— Вот уж не знаю... В общем, так: поедет завтра Лом в контору, а возле универмага его будет в двенадцать ждать стрелок. Позаботься, чтоб он из дома вовремя отчалил, и венок покупай.

— Поверить не могу... — Я засмеялась, кружась по комнате. Танька взирала на меня неодобрительно.

— Конечно, я за тебя в огонь и в воду, и

вообще куда угодно, но с мужьями так не обращаются.

— Заткнись! — прикрикнула я, потом обняла подружку и пообещала: — Вот похороним любимого и заживем как в сказке...

Танька только рукой махнула.

Всю ночь я не спала и вдовой себя воображала. Лом сопел рядом, чмокал губами и ко мне жался. «Неужто его завтра не будет? Чудно...» Я включила ночник и покосилась на Лома. Больше я этой глупой физиономии не увижу, голоса его не услышу с дурацким распевом. «Ладушка», — мысленно передразнила я и засмеялась. Расплата последовала незамедлительно. Лом проснулся:

— Ты чего, Лад?

— Соскучилась, — улыбнулась я. Лом хохотнул и ко мне полез, а я подумала: «Ладно, гад, порадуйся напоследок».

Утром муженек поднялся раньше обычного и, бреясь в ванной, что-то пел. Я нежилась в постели, потягиваясь и улыбаясь. Любимый возник на пороге, увидев, что я не сплю, ко мне подошел.

— Красавица моя...

— Ты куда так рано?

Он хитро ухмыльнулся и сказал:

— Дела...

— В контору когда поедешь? — насторожилась я.

— Как обычно. — Лом стал одеваться, а я с облегчением вздохнула: универмага ему не миновать, другой дороги к конторе не было, место Танька выбрала правильно, и вообще она молодец.

Лом наконец ушел, а я вскочила и стала заниматься всякой ерундой, пританцовывая и напевая. Потом сходила в магазин и стала готовиться к праздничному ужину. Кончину муженька следовало отметить. В половине двенадцатого он позвонил из машины:

— Ладуль, я тебе щеночка купил.

— Кого? — не поняла я.

— Щенка, забыл, как называется... подожди, у меня тут записано. Вот... коккер-спаниель, смешной такой, рыжий...

— Ломик, — ласково сказала я, — а ты не знаешь, на кой черт мне щеночек?

— Ну... — замялся Лом. — Я подумал: пока детей нет, чтоб тебе не скучно было...

«Не надо думать, когда нечем», — хотелось сказать мне, вместо этого я спросила:

— А кто с ним по утрам гулять будет, ты подумал? Ненавижу рано вставать...

— Я погуляю, — заверил Лом, — а вечерами будем вместе в парк ходить... как люди...

Я представила, как мы с Ломом и этим самым щеночком гуляем в парке, и глухо простонала.

— Ладушка, — опять запел Лом, — чего ты? Он тебе понравится... маленький такой, кудрявый.

— Ты куда едешь? — всполошилась я.

— В контору.

— Со щенком?

— Так он не помешает, пусть побегает немного, часам к двум домой приеду.

Мы тепло простились, я постояла возле телефона, перевела взгляд на часы — без пяти минут двенадцать. Я грязно выругалась и позвонила мужу:

— Ты где сейчас?

— В машине, — ответил он.

— О господи, на какой улице?

— К универмагу сворачиваю.

— Ну-ка, тормози, — рявкнула я. — Сворачивай в переулок, там собачий магазин, купишь ошейник, миску и сухого корма для щенка. Все понял?

— Ладуль, я сначала в контору заскочу, там рядом такой же магазин...

— Не такой... и щенку в конторе делать нечего, еще блох подцепит. Сворачивай сейчас же в переулок и не вздумай хитрить.

— Да свернул уже, — проворчал Лом. — Какая разница, где ошейник купить?

— Если я говорю, что есть разница, значит, есть. И из магазина сразу домой, я щенка увидеть хочу.

Закончив с Ломом, я позвонила Таньке, хмуро сказала:

— Убирай стрелка, деньги заплачу...

— Что так? — хмыкнула подружка.

— Не твое дело, — разозлилась я, а потом, разумеется, заревела с досады.

— Что, жалко любимого стало? — веселилась Танька уже вечером.

Лом был в конторе, а щенок по имени Рокки лежал на моих коленях.

— В машине находился щенок, — обиделась я. — Представь, что на его глазах убили бы человека? Это же травма для собаки на всю жизнь.

— Да, животное бы это подкосило... Ну что, выпьем за здоровье Ломика... — Танька подняла рюмку и подмигнула мне.

— Чего ты все лыбишься? — не выдержала я. — С киллером договорилась?

— Да не было никакого киллера, — вздохнула Танька. — Знаю я тебя как облупленную, баба ты добрая... Аркаша, царство ему небесное, был хуже чучела, а ты все равно его любила, а Лом мужик видный, и кое-какие достоинства у него имеются. А злилась ты оттого, что он силой тебя с ним жить заставил. Я ж знала, привыкнешь, жалеть начнешь, и киллера придумала, чтоб ты поскорее дурака валять перестала.

— Подлая ты баба, — с улыбкой покачала я головой.

— А ты эгоистка, — нахмурилась Танька. — Все только о себе и думаешь, а до меня тебе и дела нет.

— Ты влюбилась, что ли? — насторожилась я.

— Я с любовью завязала, в смысле — влюбляться больше не хочу, никакого нет в этом толку. Мужики меня не любят, каждый облапошить норовит. Вот хоть Вовку взять. Чего подлецу надо? А его все из дома тянет. Только-только отвернешься, бдительность потеряешь, а он уже шасть за дверь... — Танька вздохнула. — У меня мечта есть.

— Какая? — обрадовалась я. Настроение у меня было хорошее, хотелось осчастливить Таньку.

— Я хочу построить Империю, — скромно сказала она.

Я слабо икнула и переспросила:

— Что ты хочешь?

— Империю. У всех приличных людей была империя: у Македонского, Наполеона, у Гитлера и то была. Чем я хуже? Мозгов у меня, может, поболе будет.

— Ты, Танька, часом не свихнулась? — поинтересовалась я. — Какая еще империя?

— Обыкновенная. Где мы хозяйки: ты и я.

— Мамочка, — охнула я. — Македонский ей привиделся... По Индийскому океану тоскуешь? Так слетай по путевке...

— Вот ты всегда так, — разозлилась Танька. — Как тебе что надо — вынь да положь, а как мне — так обязательно глупость... Я для тебя что хочешь, а ты малость какую-либо и то сделать не желаешь.

Я застыдилась.

— Какую империю тебе надо? Объясни, — развела я руками.

— Обыкновенную. Чего ж тут не понять...

— Области тебе хватит? — насторожилась я.

— Мне и города хватит, — заскромничала Танька.

— И то ладно. Хочешь стать мэром? — проявила я сообразительность.

— Еще чего... мэром. Нашла императора...

Тут я наконец понимать стала и присвистнула:

— Ясно, глупость это... Только в дурацких фильмах крутые бабы мужиков в «шестерках» держат, нам под себя бандюг не подмять, начнем с императриц, а кончим подстилками.

— А Лом на что? — хмыкнула Танька. — Лучшей кандидатуры не сыщешь. Сидит крепко. Во всем городе Лом да Ленчик... А при нем два серых кардинала, зачем нам наперед лезть. У Лома сила, у нас мозги. Считай, империя в кармане. И ты делом займешься, а то сидишь пеньком, на войну с мужем себя растрачиваешь, а муж-то золотой...

— А я все удивлялась, чего ты так о Ломике заботишься... — покачала я головой.

Мы посмотрели друг на друга, ухмыльнулись, потом и вовсе расхохотались.

— Ну?.. — спросила подружка.

— Заметано, — ответила я.

Тут как раз явился Лом.

— Ломик, — позвала Танька. — Иди, родной, выпей. У тебя сегодня никак день рождения?

— Сдурела, что ли? — нахмурился Лом.

— Геночка у нас Лев, — сообщила я, целуя любимого. — Садись ужинать.

— А я думала, ты сегодня родился, — не унималась Танька.

— Да отстань ты, дура, — не выдержал Лом.

— Не обращай внимания, — мяукнула я и опять его поцеловала. — У Таньки настроение хорошее.

— А что у вас за праздник? — спросил Лом, заметно смягчившись.

Мы переглянулись и захохотали.

— Вы пьяные, что ли? — поинтересовался Лом, глядя на меня с удивлением.

— Коньяка выпили, Танька с Рокки познакомилась, и они друг другу понравились. А еще — я тебя люблю.

— Уж это точно, — кивнула Танька. — Все уши прожужжала, какой у нее муж золотой. Просто слушать противно.

— А ты не слушай, — сказал Лом и поцеловал мне руку. Тут Рокки сделал пару шагов и оставил после себя лужу.

— Что делает, блохастый, — разозлилась я. — Наказание, да и только.

— Я уберу, — с готовностью поднялся муженек, — не злись только. Он маленький, привыкнет...

Он исчез, а Танька головой покачала:

— Господи, что ж с людьми любовь-то делает.

— Кончай Лома дразнить, — сказала я, — коли быть ему императором, так относись с уважением. Он для нас Геннадий Викторович, и остальных ослов надо приучать к тому же. К тебе он должен относиться душевно, так что суетись.

Когда Лом вернулся с тряпкой, Танька поднялась из-за стола:

— Мой, Геночка, руки и выпей коньячку, а я уберу за вашим блохастым. Буду ему крестной матерью.

Ночью, ублажив Лома по полной программе, я задумалась. Танька, подлая душа, знала меня хорошо, теперь все мои мысли были о ее дурацкой Империи.

На следующий день мы с ней встретились в кафе. День был солнечным, пластмассовые разноцветные столы вынесли на улицу под полосатый тент, а в воздухе витала весна. Танька выглядела довольной и чрезвычайно серьезной.

— Чему нас учат уроки истории? — начала я.

— На какой период мне следует обратить внимание? — насторожилась подружка, прядая ушами.

— Не стоит залезать в дебри. Возьмем тридцатые годы.

— Европа или отечество?

— Без разницы, — махнула я рукой.

— Ясно. Процессы — дело нудное, — кивнула Танька. — Значит, «Ночь длинных ножей».

Я уважительно посмотрела на нее.

— Правильно. Прежде чем строить империю, надо в своем доме навести порядок. Лом должен слушать только нас, а у него прорва дурных советчиков...

— С кого начнем? — спросила Танька.

— С самого опасного...

— Святов... — Подружка задумалась, прикусила губу. — Лом Святова не отдаст, дружки, мать их... И тебя не послушает, хоть мясом кверху вывернись.

— Значит, справимся без Лома...

— Вдвоем такое дело не потянем. Человек нужен, надежный...

— Правильно, — согласилась я. — К примеру, твой Вовка — завтра приведешь его ко мне, поговорим.

Назавтра Танька пришла с Вовкой. Лом был в конторе. Сели за стол, выпили. Вовка закусил и опять к бутылке потянулся, Танька хлопнула его по руке и сказала:

— Тебя не водку пить позвали. Сиди и слушай.

— А чего за дела? — удивился он, глядя попеременно то на меня, то на подружку.

— Танька Империю хочет, — пожала я плечами. — Не могу же я отказать близкому человеку в такой малости, будем строить.

— Чего? — не понял Вовка.

— Чего, чего... Город хотим под себя подмять, а ты поможешь.

— Как это? — обалдел герой-любовник.

— Так это, — передразнила Танька. — Хотим создать Империю, один подлюга нам мешает, а ты нас от него избавишь. — Танька скоренько посвятила возлюбленного в наши планы. Понял он чего или нет — судить не берусь, но сидел как полный идиот.

— А мне-то чего делать? — растерялся он.
Танька разлила водку и сказала вкрадчиво:

— Ты уберешь Святова.

Вовка поперхнулся водкой, Танька поднялась и треснула его по спине.

— Да вы че? — спросил он, как только смог отдышаться. — Вы это серьезно?

— Конечно, — Танька даже обиделась. — Что морду-то вытянул? Ты прикинь: дело верное, Лом Ладку слушает, что она ему ночью напоет, то он днем и сделает. А тебя только терпит, Димку простить не может. Что, всю жизнь в «шестерках» хочешь бегать? С нами человеком станешь... Ну?

Вовка покрутил головой.

— Да как же я его убью?

— У меня есть план, — сказала Танька.

— Какой, к черту, план! Сколько я проживу после этого? Да со мной знаешь что сделают?

— Ну, родной... а голова на что? Мы тебя в обиду не дадим. Требуется принципиальное согласие.

— Я подумаю, — неуверенно сказал Вовка, но тут Танька проявила суровость:

— Думай сейчас. Прости, дорогуша, но мы сказали слишком много. Теперь ты либо с нами, либо... жить тебе и вправду недолго.

Вовка посмотрел на меня, а я кивнула...

— Что за план, дура? — накинулся он на Таньку.

— Хороший план. Простой, как все гениальное. Святов каждую ночь в казино торчит, пьет как лошадь, а под утро в машину и полетел... С глазами, водкой залитыми, да еще на скорости, многого не увидишь. Вот ты и подождешь его в переулке на «камазике». Машину водить умеешь... Там неподалеку автоколонна, добрыми людьми по ветру пущенная, ворота давно уже свистнули, а сторож пьяненький спит, потому как зарплату пятый месяц не получает и ему грустно. Там машину и позаимствуешь. И не дрейфь, я буду с тобой.

Вовка еще водки выпил, его руки дрожали.

— Да если Лом узнает... — начал он шепотом.

— Не узнает. Дуры мы, что ли, головами рисковать?

Через три дня Святов, в сильном подпитии возвращаясь из казино, влетел в «КамАЗ». Хоронили в закрытом гробу, потому что из бывшей красавицы «Ауди» его труп вырезали автогеном. Водителя «КамАЗа» на месте происшествия не оказалось, и следствие, как водится, зашло в тупик.

Лом запечалился, горьких слез не лил, но видно было, что переживает.

— Я этого подлюгу из-под земли достану, — бушевал он на нашей кухне.

— Кого, Геночка? — вздохнула я. — Уж сколько раз говорили: выпил, за руль не садись. А вам как об стенку горох. Святов три машины разбил, и все по пьянке. Вот и доездился... Ты у меня теперь близко к машине не подойдешь, если выпил, хоть двести грамм, хоть бутылку пива. Слышишь? Раз поймаю, ключи отберу, будешь пешком ходить.

— Да откуда там этот «КамАЗ» взялся? — не унимался Лом.

— Говорят, угнали из гаража.

— Неспроста это, Лада.

— Чепуха. Калымил кто-нибудь, на водку зарабатывал. Вот и натворил дел... Генка, не смей больше пить. Мне страшные сны снятся. — В этом месте я всплакнула, Лом принялся меня утешать и перестал беситься.

Похороны вышли пышные. Гроб дубовый с медными ручками, цветов — целое море, как на коронации. Жена Святова, видевшая мужа при жизни редко и без особой охоты, обливалась горючими слезами. Ее трогательно поддерживал под локоть врач-гинеколог из первой городской больницы и по совместительству утешитель. Тоже очень переживал.

Мы с Танькой облачились в черное, на церемонии вели себя скромно, но поплакали. Святова по новой моде отпевали в церкви. Народу было — не продохнешь. Певчие затянули «Со святыми упокой...», лица озарились тихим восторгом, Танька схватила меня за руку и всхлипнула.

С кладбища поехали в ресторан, народу даже прибавилось. Все вели себя чинно и заметно грустили, тяжкие мужские вздохи и обрывки фраз: «Кто бы мог подумать... золотой был мужик», — с неизбежным прибавлением: — «Царство ему небесное». И хоть царство небесное Святову не светило, присутствие на похоронах священника настроило братву на возвышенный лад: их потянуло к Богу, как мух на сладкое.

После того как новоиспеченная вдова, заметно повеселев, отбыла с утешителем, опираясь на его руку, мужики повысили голос и заговорили о насущном. Решено было поставить Святову памятник из мрамора в полный рост.

Мы с Танькой домой засобирались, оставив Лома вдоволь поминать усопшего соратника.

Возвращались пешком, Танька держала меня под руку и все вздыхала.

— Эк тебя разбирает, — съязвила я.

— Нет в тебе понятия, — обиделась подружка. — Все-таки с попом похороны заметно душевнее. А пели так жалостливо, теперь только так хоронить и будем...

— Кого? — удивилась я.

— Ну... — Танька малость замешкалась, — кто у нас там на очереди?

В середине апреля школьная подруга пригласила меня на вечеринку. Танька потащилась со мной, хоть ее и не звали. Гостей набралось человек пятнадцать, люди солидные. Сама Людка уже лет пять трудилась вместе с Танькой в областной администрации и умело ляпала карьеру себе и мужу. Виделись мы с ней редко, особенно после того, как я за Лома вышла замуж: выводить его в свет было делом хлопотным. Но с Людкой мы перезванивались и друг друга не теряли.

Среди гостей выгодно выделялся молодой человек в очках. Дорогой костюм, белоснежная рубашка, золотые запонки. Вел он себя непринужденно, и по всему выходило: цену себе знал. Я немного глазками померцала, так как была на воле, то есть без благоверного, и он прибился ко мне, сел рядом с намерением развлекать меня. Танька, ухмыляясь, паслась рядом.

Молодого человека звали Константин Николаевич, был он мил, остроумен и мне понравился. Улучив момент, я поинтересовалась у Людки:

— Кто это?

— Костя? Да ты о нем слышала, Сердюков его фамилия. Он адвокат. Ловкий, как черт. Не голова, а чистое золото.

О Сердюкове я слышала много, потому знакомству с ним порадовалась.

Танька продолжала вертеться рядом, чем слегка действовала мне на нервы. Чувствовалось в ней подозрительное нетерпение и какая-то маета. Через пару часов ее прорвало:

— Сегодня была в банке.

— По своей нужде или по государственной? — проявила я любопытство.

— По государственной, но две нужды не грех и соединить, если выгодно.

— Соединила?

— А то... — Танька почесала нос и ухмыльнулась. — Очень тамошние ребятки вокруг меня танцуют. Я проявила понимание, согласилась помочь и сосватала им в правление одного человека.

— Это кого? — не удержалась я.

— Как кого? — обиделась Танька. — Лома, естественно.

— Слушай, дорогая, а что Лому делать в банке?

— Банк-то какой, подумай, дура...

Я подумала.

— Лом не справится...

— А мы на что? Под чутким руководством все к рукам приберем.

Я посмотрела на подругу с уважением.

— То-то, — наставительно заметила она.

Константин Николаевич возник рядом.

— Скучные вокруг люди, как считаете, Лада Юрьевна?

— Да, невеселые.

— А не махнуть ли нам куда-нибудь, где будет забавнее?

— Вы знаете такое место?

— Еще бы. Например, моя квартира.

Я засмеялась, а Танька, появившись из-за моего плеча точно из-под земли, пропела:

— Лада Юрьевна, муженек ваш пожаловал, пока что под окнами в машине сидит, но надолго его не хватит.

Танька, конечно, права. Я улыбнулась Константину Николаевичу еще шире и лучистее и, пожав плечами, сказала:

— Не судьба.

К перспективе стать финансовым магнатом Лом отнесся неодобрительно.

— Чего мне в этом банке делать, а, Ладуль? Сидеть с этими умниками? Да я с тоски загнусь.

— Посидишь маленько, а там посмотрим, — утешила я.

Танька взялась за Лома круто.

— Ты чего рожу кривишь? Я, вообще, для кого стараюсь, для кого землю носом рою? Для любимой подруги, то есть и для тебя тоже. Тебе годов-то сколько? Так и будешь до старости кулаками махать? Пора становиться респектабельным. А скучать тебе не дадут, в банке сидят те же бандюги, только одеты почище. Мы таких дел наворотим, еще как понравится... И о Ладушке надо бы подумать. Легко ли ей, красавице нашей, умнице, быть женой бандита? В четырех стенах сидеть? Может, с таким-то мужем и в четырех стенах радость, но ты ведь не дурак и понимаешь: женщине всегда приятно похвалиться своим мужиком, а она чем похвалится? У нее натура тонкая, душа чувствительная... При случае скажет — мой муж в правлении такого-то банка... звучит... И ей приятно, а значит, и тебя любить крепче будет.

Лом подозрительно уставился на меня. Я обняла его, взлохматила волосы и поцеловала в нос.

— Конечно, я тебя люблю таким, какой ты есть, и, если ты в дворники пойдешь, меньше любить не стану, но и Танька права.

Чего ж нам от денег отказываться, если они сами в руки плывут?

— Да чего мне там делать-то? — закапризничал Ломик, но уже видно было, что согласен.

— Пока просто посидишь на стуле, привыкнешь. Ну и к тебе привыкнут. А там посмотрим.

— Не хочу я, Лада, ничего я в этих делах не смыслю.

— А тебе и не надо, — разозлилась Танька. — Да что за наказание такое! Ему готовенькое подносят на блюдце с голубой каемочкой, а он рожу кривит...

— А что мужики скажут? — вспомнил Лом про дружков.

— Они от зависти лопнут, — хмыкнула Танька. — Опять же, сдались тебе мужики, от них никакого толку. Друзья-то они, пока водку пьют, а как пропьются — продадут почем зря. Жену надо слушать, муж и жена — одна сатана. Ладушка-то лучше других знает, что для тебя хорошо, а что плохо, и дурного не посоветует, а дружкам веры никакой. — Танька слегка подпрыгнула и радостно добавила: — Да им собаку доверить нельзя, Ладка на днях в контору заезжала, попросила одного придурка с Рокки погулять, так он потерял собачонку, потом всем скопом искали, а Ладуля даже плакала... Жаловалась она тебе?

— Не жаловалась, — ответил Лом.

— А зря, — покачала головой Танька, — вот я бы нажаловалась, ведь барбос — твой подарок, он ей дорог, хотя и блохастый, и я от него никакой пользы, хоть убей, не вижу. — Танька все-таки выдохлась. — Короче, Генка, кончай ломаться, будешь финансовым магнатом.

— Ладуль... — пропел он, жалобно заглядывая мне в глаза.

— Они и вправду Рокки потеряли, — опечалилась я. — А ведь доверила всего на пять минут, думала, что ты в конторе. Так соскучилась, хотела тебя увидеть, а ты уехал с Синицей. Хорошо, что Рокки такой умненький, сам дорогу нашел.

— Ладуль, я про банк этот...

— А что банк, Геночка, тебе ведь не трудно туда заходить время от времени?

— Надо нам от Синицы избавляться, — сказала Танька через неделю.

— Почто нам лишние похороны? — удивилась я. — Пользы от него никакой, но и особенного вреда не вижу.

— Есть вред, болтает много. Вовка мне докладывал, что вчера Синица с Ломом парился и все его тобой подкалывал, мол, ты только бабу свою и слушаешь, от дружков отбился, в банкиры лезешь, и вообще, баба тебя под каблуком держит.

— Так и сказал?

— Так и сказал, чтоб ему подавиться. А Ладка твоя, говорит, стерва, и на тебя ей наплевать, что-то она задумала, а ты, как пацан, перед ней на задних лапках ходишь.

— А наш-то недоумок что?

— Спросил, не хочет ли Синица в морду, ну тот, натурально, не захотел, и разошлись по-доброму.

— Вот ведь стервец, — разозлилась я. — Язык хуже, чем у бабы... Конечно, если мужику изо дня в день такое долдонить, кого хочешь достанет... А нам от этого выгоды никакой.

— Вот и я говорю, Ладушка, не спеть ли нам Синице «Со святыми упокой...»?

— Надо по-умному, никаких стрелков, чтоб Лом ничего заподозрить не мог. Он после Святова никак в себя не придет...

— Само собой, Ладушка, у меня и план уже есть. Этот стервец любит в деревенской бане париться. Вот мы его и попарим.

— Аккуратней, Танька, чтоб без сучка без задоринки...

— Уж расстараюсь... — кивнула подружка. — Ну что, Ладушка, споем?

— Споем, — согласилась я. — Готовь Вовку.

В четверг пришла весть: Синица с двумя дружками угорел в бане. Баню эту он только что построил на своей даче и, так сказать, решил обмыть с друзьями. Живым на свет божий извлекли только одного, но и он по дороге в больницу умер, а Синице с Петькой Трофимовым и «Скорая» не понадобилась.

Похороны опять были пышными, вдова рыдала и на гроб кидалась, хотя, с моей точки зрения, горевать ей было особенно нечего: муженек у нее был непутевым, много пил, баб аж домой таскал, а благоверную колотил смертным боем. Вдовий наряд здорово красил синяк под ее глазом, не успевший окончательно исчезнуть к моменту прощания с любимым.

Я подошла к ней и выразила соболезнования. Вдова зарыдала громче, всплакнула и я. Лом с оставшимися в живых соратниками топтался рядом и монотонно бубнил:

— Марин, мы тебя не оставим, о деньгах не думай, и вообще... все что надо... не чужие ведь люди.

Когда певчие затянули Танькину любимую, на многие лица легла светлая печаль. Не одним нам слова пришлись по душе. Мужики сурово хмурились, женщины рыдали, а в целом все было по-людски и по-доброму, как любит выражаться Танька.

Она тоже всплакнула и зашипела на ухо:
— Сколько Синице годов-то было?
— Откуда я знаю? Лому ровесник.
— Ох, молодой совсем, как жалко, — всхлипнула Танька. — Только б жить да радоваться... Царство ему небесное... А поют-то как душевно, век бы слушала...

Я подозрительно покосилась на Таньку, но смолчала.

Дома я стала выговаривать Генке:
— Пить не смей, смотри, что делается. Один разбился, другой в собственной бане угорел, а все через это окаянное пьянство. Ни в какую баню ты у меня больше не пойдешь. А выпить захочешь — пожалуйста, со

мной в родной квартире. Пей на здоровье, но чтоб на глазах. Мало мне беспокойства, теперь жди тебя и думай: где ты и что с тобой...

Лом выпил рюмку и закручинился:

— Мы с Синицей в один садик ходили...

— Куда? — не поняла Танька. Она приехала помянуть покойника и делала это с большим удовольствием.

— В детский сад, дура, — разозлился Лом, — и в школу, в один класс.

— И сидели вы вместе, да, Гена? — подсказала Танька. — Или нет? Я уж точно не помню, Святов, покойный, мне рассказывал, да я ведь забыла. Вроде драку Синица затеял и мужика бутылкой ударил, а ты по дружбе на себя взял. Его-то мамка с папкой отмазали. Папка у него ходил в начальниках, а твой-то уже сидел, и мамка твоя на двух работах горбилась да в подъездах полы намывала. Синице условно дали, а ты сел. Или это в другой раз было?

Лом нахмурился. Танька ему водки подлила, сама выпила и продолжила:

— Конечно, мужская дружба дорогого стоит, нам, бабам, не понять, не так устроены... Хотя, если по чести, большой пользы я от этих старых дружков не вижу. Вот хоть бы тот же Синица, что он тебе доброго сделал? Ну, пили вместе... а ведь гонору сколько, думал, если вы в пацанах на пару бегали, так и теперь ты для него Генка Ломов. Все зубы скалил, Лом да Лом... Какой ты им Лом? Ты теперь Геннадий Викторович, должны понять и прочувствовать, а у них никакого уважения... Жалко, конечно, Пашку, но, если честно, потеря-то небольшая... Царство ему небесное, — добавила Танька и выпила еще рюмку.

В конце мая вышла неприятность: один из наших парней попал в больницу с пулевым ранением. Так как он был в сознании, из милиции в контору явились сразу. Чем они его взяли, мне неведомо, но наболтать он успел много. Потом, конечно, испугался. Само собой, в органах Лома родным не считали и прицепились не хуже, чем репей к бродячей собаке. Особо страшно не было, но дело хлопотное, следовало взять его под контроль. Вот тогда я и вспомнила о Сердюкове. Позвонила и начала ласково:

— Константин Николаевич, здравствуйте. Возможно, вы меня не помните, мое имя Лада Юрьевна, нас познакомила...

— Да вы шутите, Лада Юрьевна, — засмеялся он. — Забыть вас невозможно, и вы это прекрасно знаете. Чем обязан?

— Моему родственнику необходим адвокат, лучший из всех, кого можно сыскать. Я очень рассчитываю на вас.

— Уголовное дело? — помолчав немного, спросил он.

— В сущности, нет никакого дела... Может быть, мы встретимся, и я вам все расскажу?

— Хорошо.

ЧЕГО ХОЧЕТ ЖЕНЩИНА

Через час мы сидели в ресторане. Пялился он на меня так, что я начала краснеть.

— Так в чем проблема? — улыбнулся он, увидев, что его взгляды достигли цели.

— У племянника моей подруги неприятности... — Я не торопясь изложила суть дела, приглядываясь к Константину Николаевичу.

Он ухмылялся довольно цинично, моя грудь интересовала его много больше моих слов. Когда я закончила, он сказал:

— Дело пустяковое. Скажите вашей подруге, если она существует в реальности, что показания, полученные у раненого или больного, находящегося под воздействием наркотиков, никакой суд к сведению не примет.

— А он находился? — усмехнулась я.

— Что-то ему наверняка успели вколоть по дороге в больницу.

— Я могу на вас рассчитывать?

— Можете, — кивнул он. — Уверен, вы знаете, сколько стоит мое время.

— Разумеется, — улыбнулась я.

Больше мы о делах не говорили. Где-то через полчаса я, извинившись, отбыла домой. И сразу позвонила Таньке:

— Собери все, что можешь, на Сердюкова.

— Сделаем, а зачем?

— Для того чтобы построить Империю, нужна крепкая команда.

Танька только хмыкнула.

Как Сердюков обещал, так и сделал. Стражи закона отнеслись к ситуации с пониманием. Деньги адвокат запросил немалые, я дала вдвое больше. Взял. Через неделю я опять позвонила и попросила о встрече. На этот раз встречались на открытом воздухе, в парке.

— Константин Николаевич, — сказала я, извлекая на свет бумаги в дешевой папке. — Вот здесь обозначены ваши доходы за прошлый год, разумеется, не те, о которых известно налоговой полиции, а настоящие суммы.

Он усмехнулся, просмотрел бумаги и взглянул на меня с уважением.

— Что дальше?

— Если вы будете работать на нас, то получите втрое больше. Это для начала.

— На нас? — поднял он брови.

— Скажем так — на меня.

— И в чем будет заключаться моя работа?

— В основном в толковых советах. Хотя может возникнуть ситуация, подобная той, что была неделю назад.

Он засмеялся.

— Если я правильно понял, меня приглашает местная мафия.

Тут и я засмеялась.

— Мафия? На редкость неудачное определение... Моя подруга хочет построить Империю, я ей помогаю. Не стоит так смотреть, я в своем уме. Если хотите, принесу справку от психиатра. У нас есть идея, но не хватает образования в некоторых вопросах. Нам нужен такой человек, как вы. Ловкий, умный, циничный. Теперь еще немного о вас: работая в поте лица, вы через несколько лет, возможно, переберетесь в столицу. И кое-чего достигнете. Может быть, многого. Как повезет... Только лучше быть владыкой в своем королевстве, чем генералом в чужом. Через два года все деньги, которые в этом городе шуршат, снуют и мнутся, будут наши. А это значит власть — и почти безграничная свобода.

— Через два года? — спросил он.

Я кивнула.

— Возможно, раньше. Два года — это крайний срок.

Тут он опять засмеялся и сказал:

— Знаете, я вам верю.

— И правильно, — улыбнулась я.

— Ваша подруга тоже красива? — спросил он, взяв меня за руку.

Я убрала руку, посмотрела на него и сказала:

— Константин Николаевич, о вас отзываются как об очень умном человеке. Я вам предлагаю деньги, которых не стоит никакая женщина. Попробуйте отвлечься от моей внешности, представьте, что перед вами старуха или, например, мужчина.

Он усмехнулся.

— Это трудно...

— Тогда вообразите, что под платьем у меня волосатый живот, а грудь накачана парафином.

— А она накачана?

Я взглянула ему в глаза, а он сказал:

— Извините... Должен вам сказать, Лада Юрьевна, что после нашей первой встречи я тоже вами интересовался. Досье не собирал, но кое-что узнал, а кое до чего своим умом дошел. Ситуация в городе мне известна, в ней многое изменилось за несколько месяцев. После вашего первого звонка я с нетерпением ждал второго, так что ваше предложение меня не удивило...

— Значит, вы подумаете?

— Мне нечего думать, — сказал он. — Я согласен.

В парке мы пробыли долго, бродили по аллеям и разговаривали, где-то через час перешли на «ты», это получилось само собой и совершенно естественно. Несколько раз он смотрел на меня с неподдельным восхищением, и я с удовольствием отметила, что на сей раз восторг вызван не моим лицом и шикарным бюстом.

— Банк — дело перспективное, — кивнул он. — Разумеется, тут надо все как следует продумать, но в целом идея стоящая... Теперь я и сам думаю, что два года — это крайний срок...

Он проводил меня до машины, и я сказала:

— Пара практических советов: при Ломе веди себя скромно, особо ум не демонстрируй, лишний раз согни спину, будь мудрым, вслух не смейся. Его взгляд выдержать трудно, но необходимо, на худой конец смотри ему в переносицу. Ко мне обращайся только по имени-отчеству, никаких комплиментов, улыбок или взглядов. Смотри в мою сторону, только когда непосредственно со мной разговариваешь. Конечно, Лом поначалу воспримет тебя в штыки и рядом со мной не захочет видеть. Терпи. Поведешь себя правильно, он привыкнет. Очки и интеллигентность простит, а там и полюбит, как родного... Пугать мне тебя стыдно, умного учить только портить. Покажется, что доля мала, скажи, обсудим. У нас с подружкой не деньги, главное у нас — кураж... А начнешь хитрить, так мы тебе споем...

— Что? — не понял он.

— «Со святыми упокой...»

Как я и предполагала, Лом воспринял Сердюкова в штыки.

— На хрена мне эта интеллигенция в доме? — орал он.

Тут я, кстати, про дом вспомнила:

— Что ты там строишь полгода? Хоть бы свозил раз...

— Так ты сказала... — начал Лом.

— Что с женщины взять? Мы, как известно, сегодня говорим одно, а завтра другое. Конечно, насчет дома ты был прав, теперь я это ясно вижу. И хочу дом... Только хочу по-своему. Кто там у тебя работает? Полгода возятся и что успели сделать? Вечно норовят содрать побольше, пьют целыми днями и наконец сляпают какую-нибудь уродину.

— Ладуль, какие проблемы, чего захочешь, то и сляпают. Поехали, хоть сейчас посмотришь.

— Поехали... А адвокат нам нужен. У меня вся душа изболелась, когда менты того парнишку в оборот взяли. Ночами не сплю, все думаю, как бы они какой пакости тебе не сотворили. У тебя натура широкая, скрытничать не умеешь, а эти мерзавцы только и выжидают случая, как тебя подловить. Вот Константин Николаевич и займется тем, чтоб их мерзкие попытки не увенчались успехом.

— Просто он тебе нравится: морда лощеная и трещит как заведенный.

— Да он при тебе лишнее слово сказать боится.

— И правильно, за лишнее слово я сам его в землю зарою.

Мы стали строить дом и приручать Лома. Костя оказался умницей, советам внял и вел себя безукоризненно. Как Лом ни придирался, а ничего подозрительного в нем усмотреть не смог, и вскоре уже называл его Костей, хлопал по плечу и приговаривал:

— Головастый ты мужик...

В пятницу была презентация по случаю открытия нового банка. Танька с Костей уже отбыли, собирались и мы с Ломом. Я вертелась перед зеркалом, муженек подошел сзади, обнял меня и запел:

— Ладушка, до чего ж ты красивая, дух захватывает... Фигурка точеная... — Он рукой залез под подол и ухитрился смять платье. — Давай наплюем на эту презентацию и дома останемся. Чего мы там не видели?

Отказывать Лому не хотелось, но на этот раз я проявила твердость:

— Потерпишь пару часов. Хочу взглянуть на этих умников и прикинуть: кто там чего стоит.

Умники особого впечатления не произвели. На следующий день к нам приехали Танька с Костей и стали натаскивать Лома. Он капризничал и злился, а мы изрядно помучились. Однако через пару недель муженек вошел во вкус, возвращался с сияющими глазами и заявлял с порога:

— Ладуль, ты сейчас со смеху умрешь...

Со смеху я не умирала, но за мужа радовалась. Работать с ним стало легко и приятно. Память у Лома железная, не хуже его кулаков, и хоть мозгами его бог немного обидел, зато хитростью и звериным чутьем снабдил в избытке, а о том, что карманы ближних следовало время от времени основательно очищать, Лому напоминать не приходилось. Костя умело его инструктировал, а Ломик был способен запомнить текст объемом в пять страниц и на следующий день воспроизвести его дословно. Очень скоро ребята в банке поняли, что заполучили. Но русский человек, как известно, задним умом крепок.

Поздней осенью, после одного примечательного разговора с глазу на глаз в кабинете за дубовыми дверями, в котором Лом, к удивлению своего собеседника, продемонстрировал недюжинный ум, а не только звериную повадку, у нас в гостях появились двое мужчин. Правда, на гостей они были похожи мало, так как выглядели испуганными, нервными и неприлично суетливыми. С обоими я встречалась лишь однажды, на презентации, и поэтому позволила себе, открыв дверь, выказать легкое недоумение.

— Здравствуйте, — пропела я с улыбкой, глядя попеременно то на одного, то на другого.

Один из мужчин был среднего роста, худой и бледный, ранняя лысина и борода клинышком, фамилия его была Перезвонов. Лом сразу же прозвал его Звонком за неуемную тягу к красноречию. Второй — высокий, крепкий и в отличие от товарища говорил мало и по делу, чему, надо полагать, способствовала его фамилия: Молчанов. Сейчас он держал в руках черную папку, по некоторым причинам очень меня интересовавшую.

— Здравствуйте, — ответили они мне и улыбнулись, хотя было заметно, что им не до улыбок. — Геннадий Викторович дома?

— Дома, проходите, пожалуйста.

Они вошли. В прихожей появился Лом. Так как визит ожидался, муженек бродил по квартире в костюме, застегнутом на все пуговицы, и выглядел, как всегда, сокрушительно, правда, на особый, бандитский, манер, точно назло всем моим попыткам придать ему вид добропорядочного гражданина.

— Вот сюда, пожалуйста, — сказала я, указывая рукой на дверь гостиной, а Лом головой мотнул:

— Пошли, ребятки.

Я закрыла за ними дверь и прошла в соседнюю комнату. Здесь напротив друг друга молча сидели Костя и Танька. При моем появлении подружка вскинула голову и спросила:

— Лом справится?

— Еще бы.

Костя поднялся с кресла, подошел к окну и сказал тихо:

— Черт, волнуюсь, как на выпускном экзамене.

— Не стоит, — успокоила его я. — Все нормально и даже лучше. Генка понял, чего от него хотят, а когда он случайно что-то понимает, ему цены нет.

Мы настроились на долгое ожидание, но разговор занял не более получаса. Гости молча оделись в прихожей, потом хлопнула входная дверь, а мы покинули комнату. Лом сидел в кресле и ухмылялся.

— Что, Геночка? — спросила я, устраиваясь на его коленях.

— Порядок, — кивнул он и поцеловал меня.

На столе лежала та самая кожаная папка. Костя сел, придвинул ее к себе и стал внимательно изучать содержимое. Танька пританцовывала рядом и все норовила заглянуть ему в глаза. Наконец Костя поднял голову, посмотрел на нас по очереди и сказал:

— Молчанову сейчас самое время умереть.

Лом уставился на меня, а я едва заметно кивнула.

Я жарила мужу котлеты, Танька вертелась рядом, залезая руками то в один салат, то в другой.

— Молчанова-то с попом хоронят, — минут через пять заявила она. — С понятием люди...

— Сейчас модно, — пожала я плечами.

— Отпевание сегодня в час. — Танька задумалась, глядя на люстру. — Человек он в городе уважаемый... был. И меня, кстати, приглашали...

— Сошлись на занятость, отправь вдове соболезнования, покойнику венок...

— Да нет, я бы сходила... отдала то есть последний долг... и вообще, послушала, как поют.

— Помешательство какое-то, — разозлилась я.

— И вовсе не помешательство... В душе-то так чисто делается, и плакать хочется.

— Что ж, — вздохнула я, — сходи поплачь.

Танька взглянула на часы и ходко затрусила к двери.

Однажды вечером Лом вернулся в сильной задумчивости, бродил по квартире и все на меня поглядывал. Где-то часа через полтора не выдержал и сказал:

— Ладуль, мне с тобой поговорить надо...

Разговор вышел бурным, и я впервые накричала на муженька, а под конец заявила:

— Ломик, с наркотой связываться не смей.

Традиционно этим промыслом в нашем городе занимались нехристи. С ними мы уживались по принципу: у вас своя свадьба, у нас своя... Откуда теперь ветром надуло, понять несложно: еще в прошлые времена Лешка Моисеев, давний Ломов дружок, мутил воду и пел о бешеных деньгах.

— А чего от добра отказываться? — разозлился Лом. — Дело верное, отлаженное, а нехристей мы в бараний рог свернем, нечего им у нас хозяйничать.

Убрав из голоса командные нотки, я запела жалостливее.

— Я покойному Аркаше всегда говорила, не суйся. У нас дела, слава богу, идут неплохо, а от добра добра только дураки ищут.

Лом упоминаний о бывшем соратнике не выносил, тут я дала маху. Мысли об Аркаше возвращали к невеселым думам о Димке. Хотя времени, на мой взгляд, прошло достаточно, и Ломовы раны я зализывала ежедневно и основательно, но они все еще были свежи и болезненны.

— Аркаша без тебя шагу сделать боялся, а у меня своя голова на плечах, — рявкнул он. — Лешка правильно говорит, я и сам вижу — дело верное. У нас сейчас сила, все к рукам приберем.

Я испугалась этакой прыти и на следующий день собрала совет. Впервые мнения разделились. Костя, выслушав меня, пожал плечами и заявил:

— Деньги не пахнут.

Танька пошла еще дальше.

— А почему бы и нет? Моисеев подлец, но не дурак, а в его намерении я улавливаю признак гениальности.

— Замолчи, — разозлилась я. — Гениальность... У меня в отношении наркоты твердое и незыблемое правило...

— Да знаю я, знаю, — нахмурилась подружка. — Не заводись. Речь идет о деньгах, а не о моральных принципах.

— Мы строим Империю, — решив зайти с другой стороны, сказала я, — а Империя — это законы. Их надо создать, а создав, придерживаться. Иначе в один прекрасный момент все рухнет, как карточный домик. И еще. У каждого человека должна быть черта, за которую не следует переступать. Пока он возле нее топчется, бог его терпит, прощая кое-какие шалости, но нервы у господа тоже не железные, может и разгневаться, а господь, как известно, всемогущ, и силой с ним мериться дело зряшное.

Танька о господе размышляла в последнее время много и сейчас запечалилась.

— Думаешь, влезем мы в это дерьмо и удача нас покинет?

— Думаю, — кивнула я. — Дело для нас новое, пока уму-разуму научимся, много шишек набьем, а кое-чего и лишимся.

— И хочется, и колется, и мамка не велит, — почесав нос, сказала Танька. Костя поднялся с кресла.

— Если Лада против, это уже повод отказаться. Тут другая проблема: Лом.

— Лома я беру на себя, — кивнула я.

— А получится? — впервые усомнилась в моих способностях Танька. — Уж больно завелся.

— Получится, — заверила я. — А вот Моисеев нам теперь не ко двору. Дурной советчик хуже чумы.

— Споем? — насторожилась Танька.

— Придется спеть, — сказал Костя. — Но сделать это нужно с высочайшего соизволения. Если Лешка сейчас сыграет в ящик, даже осел поймет, в чем дело, а Лом далеко не так глуп, как иногда кажется. Если чего заподозрит, мы утратим влияние на него и вся работа тогда впустую.

— Да-а, — протянула Танька и глубоко задумалась.

— План давай, — сказала я.

— План будет. Берись за Лома, а я прикину, как половчее взяться за Моисеева.

Весь вечер я ходила опустив глазки, с мужем была ласкова, но тиха и молчалива. Дважды всплакнула, сначала в ванной, потом на кухне, когда мыла посуду. Лом сразу подмечал изменения в моем лице, но здесь, как видно, решил держаться и стойко молчал. Я о делах даже не заговаривала, а ночью прониклась к мужу особой нежностью.

— До чего ж ты настырная, — вздохнул Лом, поднялся, прошелся по спальне, сходил на кухню и принес сок в высоком стакане, а потом сел на постель, разглядывая меня с некоторой суровостью. — Обязательно чтоб по-твоему было, — сказал обиженно. — Ну ладно там бабьи капризы, я ж все понимаю, потому никогда тебе ни в чем отказу нет. Хоть раз я сказал тебе «нет», а? Хоть раз разозлился или дал понять, что чего-то мне не по душе? Сама ведь знаешь: стоит тебе словечко шепнуть или кивнуть головкой — так я в лепешку расшибусь для твоего удовольствия. Но куда не просят, не лезь. Ты баба умная, и советы твои я всегда выслушиваю, только решать, что и как, буду сам.

— Не в том дело, Геночка, — запричитала я. — Совсем другое меня мучает. На днях по телевизору показывали детей, лет по двенадцати, не больше, а они уже наркоманы. Смотреть, жуть берет, на людей не похожи, а у каждого родители, и отец с матерью уж, верно, такой жизни им не желали, и родители-то все приличные, не какая-то там пьянь... Только разве убережешь, когда это зелье везде и всюду? Ты знаешь, что в городе творится? Возьми любую школу — каждый второй старшеклассник эту дрянь уже пробовал, во всех ночных клубах купить ее без проблем, только знай, к кому подойти, а не знаешь, так доброхоты подскажут. А хуже наркоты ничего нет, самая привязчивая зараза. Я ведь тебе про брата рассказывала... Такое вообразить невозможно, и боже сохрани нам с тобой подобное пережить: видеть, как родной тебе человек превращается в полуидиота... — Тут я зарыдала в полный голос, а муженек стал меня обнимать и по спине наглаживать. — Страшно мне, Гена, бог накажет... А у нас с тобой сейчас все так хорошо, что божий гнев нам без надобности. Неужто из-за паршивых бумажек будем собственных детей травить? Денег у нас, слава богу, хватит и нам, и внукам, чего ж грех-то на душу брать?

— Ладно, Ладуль, чего ты, — расстроился Лом, вытирая мои горькие слезы. — Я, честно, как-то не подумал об этом, ну, то есть о твоем брате и как ты вообще к этому относишься. Разозлился, потому что гордость заела: мол, опять все по-твоему, а я что ни скажу, все не в масть... Когда ты со мной поговоришь, все ясно становится, вот хоть сейчас, я теперь и сам вижу, что нам гадость всякая без надобности. Мы найдем, где лишние бабки сшибить.

— Я ведь почему против Лешки взъелась, — шмыгнув носом, решила пояснить я. — Он ведь жаден до глупости, и никакого в нем нет человеческого понятия. Это я с тобой могу поговорить, и ты поймешь, а у него душа давно запродана, и дальше своего длинного носа он ничего не видит. И тебе в уши шипит...

— Больно я его слушаю... — махнул рукой Лом и полез целоваться. Потом поднял голову, заглянул мне в глаза и, кашлянув, спросил не без робости: — Ладуль, ты не беременна, нет?

— Сейчас и рожать-то страшно, — пожаловалась я. — Такое вокруг...

— Глупости. Бабы должны рожать, и боя́ться совершенно нечего, в особенности тебе... Нехристей, кстати, потеснить надо, живут как у себя дома. Пусть своих ребяти́шек травят, а наши сами придумают, чем себя в гроб вогнать.

Через пару недель, явившийся с обычным отчетом Вячеслав Сергеевич, по-домашнему Славик, сосватанный нам Костей и ведущий теперь всю бухгалтерию, мужик умный и понятливый, сказал, обращаясь к Лому:

— Гена, Лешку Моисеева проверить надо. Есть у меня подозрение — ворует много, зарвался, решил, что в казино он полный хозяин.

— Что же, на него ревизию насылать? — усмехнулся Лом.

— Ревизия — дело не наше, а вот проверить да на место поставить — необходимо. Я знаю, вы друзья, но это для воровства не повод. Друзей уважают, а не обворовывают. Сдается мне, что Моисеев это забыл.

— И как ты его поймать думаешь? — удивился Лом.

— Дело нехитрое, зашлю к нему человечка, Лешка и знать ничего не будет. Человечек со стороны, парень башковитый, он разберется, что там за дела...

Через месяц перед Ломом лежали бумаги, из которых следовало, что воровал Моисеев давно и помногу. Лом к этому известию отнесся спокойно.

— Ну и что? — спросил, отодвигая бумаги в сторону. — Пусть ворует...

— Не в том дело, что украл, — взъелась Танька, вскакивая с кресла, — а в том, что уважения к тебе нет... Только дураки себя обманывать позволяют, — сорвалась подружка и тут же язык прикусила под мрачным Ломовым взглядом. Впрочем, своротить ее с выбранного пути затруднительно, и она, помолчав немного, забросила пробный камень: — Много воли взял, вообразил, что с тобой тягаться может. И распоясался. Язык точно помело. Мне донесли: на днях болтал, подлец, что, мол, Лома за одни Ладкины титьки давно бы пристрелить надо...

— По пьяни чего не брякнешь, — отмахнулся Лом. — Языки хуже бабьих. А Лешка, как зальет глаза, наболтать может что угодно...

Нежелание муженька распрощаться с дружком очень нас расстраивало, а «спеть» Моисееву по собственному почину теперь и вовсе сделалось опасным.

— Вот что, душа моя, — сказала мне Танька, — потрись-ка малость возле Лешки. Он на тебя со старых времен глаза пялит.

— Спятила? — удивилась я. — Да Лом мне голову оторвет.

— А ты по-умному. Никаких слов и лишних движений, одни томные взгляды. Лешка — бабник, мозги у него в штанах, опять же чужая жена завсегда слаще. Удовольствие двойное — и бабу трахаешь, и дружку свинью подложишь. А Ломик его сильно печалит: высоко взлетел. Лешке так не подпрыгнуть. Оттого в удовольствии себе не откажет, клюнет. А наживочку проглотит, ему удержу не будет, полезет на рожон: мужик он характерный. Тут мы его, милого, и прихватим.

Очень кстати подошли новогодние праздники, в конторе народ гулял трое суток. Я решила почтить ресторан своим присутствием и отправилась туда вместе с муженьком. Моисеев чувствовал себя здесь хозяином, раз пять назвал Генку Ломом, чтоб, значит, все слышали, и братски хлопал его по плечу. В ответ муженек его обнял, вспомнил что-то касаемое юных дней и назвал братом.

— Здравствуй, Ладушка, — полез ко мне Лешка. — Красавица ты наша. Совсем забыла старых друзей, а ведь когда-то мы часто виделись.

Губы Ломика кривились в улыбке, но зрачки стали узкими, как у кошки. Танька права, мозгов у Лешки немного, а чутья и того меньше.

Сели за стол. Танька плюхнулась слева от Лома, я по правую руку, а Лешка, желая быть поближе к другу, рядом со мной. Застолье было бурным, в духе старых времен. Я взирала на все это без одобрения, но спокойно.

— Поедем домой? — шепнул Лом.

— Отчего ж? Не хочу, чтобы умники трезвонили, что я тебя от дружков отваживаю. Посидим, полюбуемся.

Подвыпившие девицы перегнули палку. Я усмехалась, а Генка ерзал. Когда мне все это надоело, я вышла на свежий воздух. Моисеев поспешил за мной.

— Не нравится тебе у нас, Ладушка, — сказал с подлой улыбкой.

— Не нравится, — кивнула я. — Ты девок от Лома убери, не то я вашему заведению существенный ущерб нанесу. Девки твои моему мужу без надобности.

— Надо думать, — согласился Лешка. — Повезло Лому, ничего не скажешь.

— И тебе бы повезло, если б ворон не ловил.

Я вернулась в ресторан. Лом в холле хмро оглядывался, увидев меня, шагнул навстречу, тут и узрел в окно курившего на крыльце Лешку.

— Что еще за дела? — спросил грозно.

— А никаких дел, Гена. Посоветовала я дружку твоему девочек слегка сдерживать. Женщина я тихая, но какой-нибудь зарвавшейся стерве вполне могу глаза выцарапать.

— Опять ты за свое... — всплеснул руками Лом.

— Опять. Превратили ресторан в помойку, прости господи.

Вернулись в зал. Через несколько минут самые прыткие леди незаметно нас покинули. Лом выглядел довольным, Танька ухмылялась и что-то Моисееву на ухо шептала. Тот скалил зубы и посматривал на меня. А я на него. Не часто, но со значением. Лешка пил много, а пьянел быстро. Глядя на меня и пуская слюну, стал вспоминать былые времена, наболтал много, мужа бывшего и того приплел, а потом и Димку. Лом поднялся и, забыв об улыбке, сказал:

— Хорошо посидели, пора по домам.

— Куда спешишь, Лом, дай на твою жену полюбоваться.

— Какой дурак, — восторженно шепнула мне в ухо Танька.

— Ты на свою любуйся. Поехали, Лада.

Одарив Моисеева на прощание нежным взглядом, я пошла за мужем.

Лишь только сели в машину, я отвернулась к окну, а Танька, хитрая бестия, начала шипеть:

— Чего ты расстраиваешься? Больно надо из-за дурака слезы лить... Пьянь окаянная... язык-то без костей.

— Ладуль, ты чего? — насторожился Лом.

— Я сюда больше не поеду и этого идиота видеть не желаю. Что он себе позволяет?

— Да, в былые-то времена за меньшее головы лишались, — покивала Танька. — Лешка сам распустился донельзя и мужиков распустил, по пьяни при бабах такое болтают... ума нет, господи, прости... И Ладуля права, что обиделась. Хоть он и твой друг, нечего так пялить глаза и вспоминать всякие глупости. Ладка жена тебе, ему б знать надо, что чужая собственность, особенно твоя, неприкосновенна. А он гляделками-то сожрать готов. Нехорошо это, не по-людски. Мысли его блудливые на глупой роже написаны. Конечно, Ладка никогда ничего ему такого не позволит, но тут дело даже не в этом. Если человек без понятия и на чужое зарится, ему и в делах доверия никакого: продаст в малом, продаст и в большом...

Дня через три, выходя из бассейна, я с удивлением обнаружила невдалеке Лешкину машину. Сам он тоже не замедлил появиться. Был трезв, чисто выбрит и прилично одет, что вообще-то редкость. Я думала, глупости его не хватит на то, чтоб вот так притащиться, и на результаты рассчитывала не ранее чем через месяц. Но Танька и тут оказалась права: Моисеев лез в капкан, как медведь в улей, особо не мудрствуя.

— Здравствуй, Алеша, — сказала я с некоторым удивлением.

— Привет, — ухмыльнулся он. — О фигуре печешься?

— Пекусь, — кивнула я. — У меня теперь одна забота: мужа ублажать, а фигура в этом деле вещь необходимая.

— Да, ничем таким тебя бог не обидел...

— А ты здесь по какой надобности? — поинтересовалась я.

— Проезжал мимо, тебя увидел... Давай прогуляемся, погодка зашибись, и вообще...

Я посмотрела на него со значением, колыхнула бюстом и головой покачала:

— Ни к чему нам с тобой прогуливаться. Разговоры пойдут, а с Ломом шутки плохи...

— Не надоел он тебе?

Я улыбнулась.

— Мужики рассказывают, он по утрам с твоей собачкой гуляет, неужто правда?

Я улыбнулась еще шире, а Лешка силился придумать, что ж такого еще сказать.

— Ты на машине? — спросил он.

— Нет, люблю свежим воздухом подышать.

— Садись, отвезу.

Я вскинула брови и головой покачала.

— Не верю, что так мужа боишься. Он же перед тобой на задних лапах ходит. Все знают.

— Не стоит всякие глупости повторять... — Я смерила его взглядом и добавила со значением: — У вашего брата языки длиннее бабьих. А мне пересуды ни к чему... До свидания. — Я шагнула в сторону. — Заходи в гости.

— Зайду, — туманно ответил Лешка.

И в самом деле вскоре зашел, как водится, с бутылкой. Устроился на нашей кухне с таким видом, точно собирался здесь состариться. Был уже сильно навеселе и болтать принялся с порога. В первые полчаса Лом вроде бы обрадовался дружку. Я на стол накрыла и немного с ними посидела. Потом ушла с кухни, забыв закрыть дверь, и стала чутко вслушиваться. Лом честно пытался найти с приятелем общий язык, не подозревая, что судьба успела развести их далеко и основательно. Лешкина пьяная физиономия, громкий голос, матерщина и манера вытирать руки скатертью очень скоро начали действовать ему на нервы. Лом замолчал и томился еще с полчаса. Сам он пил умеренно, в последнее время и вовсе редко, а в подпитии либо молчал, либо гневался, в зависимости от настроения. Моими стараниями настроение поддерживалось неплохое, потому гневливым я его не видела давненько. Теперь же в ответ на настойчивые Лешкины советы Лом пару раз сорвался и рявкнул, причем громко и нецензурно, от чего я успешно его отучала. Как не порадоваться Лешкиной глупости?

Подошло время гулять с собакой, я оделась и заглянула на кухню:

— Гена, я с Рокки погуляю.

Лом заерзал, отпускать меня одну, да еще по вечерам, он не любил.

— Потерпит немного, попозже сходим.

— Ничего, я погуляю, — проявила я понимание. — Отдыхайте.

Было заметно, что отдыхать Лому надоело. Он вышел за мной в прихожую.

— Ладуль, погуляй у подъезда. На улице темень, а ты не с бультерьером идешь, от Рокки пользы никакой, только звон пустой.

— Я во дворе постою, — согласилась я. — Очень он волнуется.

Я ушла, а когда вернулась, Лешка уже нагрузился до такой степени, что сам себя не помнил. Хватал меня за руки, приставал с выпивкой, шутки отмачивал такие, что святого достанут. Лом святым не был, физиономия его багровела, глаза наливались кровью, а кулаки сжимались. По всему выходило, что легендарный припадок последует незамедлительно. С сочувствием взглянув на мужа, я удалилась. Лешка был так пьян, что признаков надвигающейся бури не углядел и вскоре встретил ее лицом к лицу. Лом спустил его с третьего этажа без лифта, правда вызвав предварительно такси. Вернулся злой, как черт. Я принялась его утешать.

— Вроде мужик неглупый, — гневался Ломик, — а выпьет, дурак дураком. Чего городит...

— Геночка, ты не сердись, я понимаю, он твой друг, и не хочу, чтобы ты решил, что я друзей от тебя отваживаю, но еще один такой визит я могу и не пережить. Не люблю, когда меня посторонние люди за руки хватают. Обижать не хочется, а терпеть противно.

— Какой-то недоделанный стал, — согласно кивал Лом, — городит черт-те чего... Раньше он таким вроде не был...

— Может, ты просто внимания не обращал...

— Не знаю... Я с ним завтра поговорю, чтоб пьяный больше не таскался. Трезвый — другой разговор...

— Я тебе не рассказывала, он меня на днях у бассейна встретил и тоже какую-то ерунду плел...

— А чего ему у бассейна делать?

— Не знаю, сказал, мимо проезжал.

— Куда он проезжал, там тупик... — Ломик нахмурился.

— Ну его к черту, — сказала я и прижалась потеснее к муженьку.

— Замерзла, пока с Рокки гуляла?

— Без тебя гулять совершенно не хочется, и настроение не то, и скучно. И вообще, мне без тебя плохо. Когда ты рядом, все по-особенному видится...

— Притащился, придурок, — досадливо вздохнул Лом, — только вечер испортил.

Наутро я позвонила Моисееву. Голос у него был страдальческий, прошедший вечер он помнил смутно и удивлялся разбитой роже.

— Лом бесится, — сказала я, — и ревностью допекает. Пьяные мысли держи при себе. — И весомо добавила: — Надо поосторожнее.

Вроде бы невзначай, но часто судьба стала сталкивать нас с Лешкой. То там встретимся, то здесь. Заботилась об этом Танька, а она за что берется, то делает в лучшем виде. Я улыбалась со значением, а она в оба уха Лешке нашептывала. В целом выходило неплохо. Несколько раз он звонил, начиная со слов: «Как там у Генки дела?», а заканчивая певучим «Ладушка», частенько пасся возле бассейна, и, по Танькиному определению, в штанах ему было тесно. Выразить свои чувства словесно он не всегда мог, но смотрел блудливо и жарко, чему я не препятствовала, а напротив, свои достоинства демонстрировала охотно, но молча... Танька же цеплялась к Лому:

— Чего это Лешка снует туда-сюда, аж в глазах рябит? Насчет наркоты тебя обхаживает? Возле Ладки трется... Неужто решил взять не битьем, так катаньем? Мол, не уговорил тебя, так, может, она присоветует? Куда ни плюнь, всюду Моисеев, точно пасет. Ладуля тебе сказать боится, чтоб, значит, в мужскую дружбу раскол не внести, а мне жаловалась: Лешка у бассейна прописался, никак шалаш поставил, дня не проходит, чтоб не встретил. Это хорошо? Я ведь не Ладка, тебя не боюсь и правду всегда в глаза скажу. Друзья так не поступают. Может, дурных мыслей в его башке и нет, но ее-то он в какое положение ставит? А ну как кто запримет? Пойдут языками чесать, а ты характером крут, вникать не станешь, и кто тогда виноват окажется? Вот Ладуля и ревет, тебе сказать боится, а я скажу, потому что она человек мне близкий и ее печаль я к сердцу принимаю...

Танькины длинные речи действовали в обоих направлениях, теперь дружки, встречаясь, испытывали обоюдную неловкость, на первый взгляд не очень заметную, но им понятную. Танька заботливо подливала маслица в огонь.

Уже больше месяца Вовка усердно крутился возле Моисеева, пьянствовал с ним и баб таскал. По части услужить ему не было равных, и очень скоро он стал у Лешки кем-то вроде доверенного лица. Так что направление его мыслей было нам хорошо известно. Мысли, кстати, глупые и оригинальностью не отличавшиеся. Вскоре на стол перед Ломом легла магнитофонная кассета. Танька пылала праведным гневом.

— Послушай, что твой дружок болтает. Уши вянут, мать его...

Я принесла магнитофон, а Танька сказала:

— Ты бы, душа моя, шла отсюда. Совершенно ни к чему тебе этакие пакости слушать.

— Отчего ж, послушаю, — твердо заявила я и села на диван.

Вовка потрудился на славу. Моисеев болтал много, глупо и опасно. Через десять минут Лом уже сидел, сурово хмурясь, а через двадцать начал ухмыляться. Такая ухмылка могла заставить даже покойника поменять последнее место жительства. Далее стало еще интересней, полет фантазии коснулся моей персоны. Слушать все это было забавно. Но не сейчас. Я резко поднялась, вытащила кассету, швырнула на пол и каблуком разбила.

— Какая гадость! — прошипела брезгливо.

Лом сцепил руки на коленях и смотрел в одну точку.

— Я всегда говорю: продаст в малом, продаст в большом, — сказала Танька.

— Иди-ка ты домой, — посоветовала я.

Едва заметно кивнув, подружка исчезла. Я подошла к муженьку, обняла его и на коленях устроилась.

— Забудь об этом, — попросила тихо, точно зная, что Лом-то никогда не забудет. — Ну его к черту...

Муженек меня обнял, прижался щекой к моей руке, пропел:

— Ладушка, — и вздохнул, — никому верить нельзя...

— Мне?

— Тебе верю, — сказал Лом, по-собачьи заглядывая мне в глаза.

— Вот и слава богу... Остальное уж как-нибудь переживем...

Утром я позвонила Таньке.

— С Моисеевым надо решать поскорее. Как бы он нас на кривой кобыле не объехал. Лом успокоится, простит. Он просто помешан на всяких глупостях, только и слышу: в пацанах бегали...

— Сделаем, — сказала Танька, немного помолчала и добавила: — Погода стоит отличная, не хочешь ли на лыжах покататься?

— Допустим, хочу.

— Вот и поезжай на дачу. А Лому мы командировку организуем.

— Он без меня не поедет. А если по великой надобности и отчалит куда, так найдет способ держать меня дома, да еще звонками замучает.

— Ты кому жалуешься? Главное, чтоб надежный человек шепнул Лешке, что Лом отчалил, а ты на даче одна-одинешенька тоску гоняешь.

— Думаешь, он приедет? — усомнилась я. — Неужто такой дурак?

— Ты что, кассету не слышала? У него навязчивая идея. Будь спокойна, явится...

— Танька, — испугалась я, — что-то мне не по душе это. Генке вряд ли понравится...

— Ты, Ладка, не бойся, сделаем по-умному.

Я тяжко вздохнула, повесила трубку и стала размышлять, как половчее убедить Лома отправить меня на дачу. Где-то в десять я позвонила ему в контору.

— Геночка, ты обедать приедешь?

— Нет, Ладуль, мы с Костей уезжаем. — Значит, Танька успела дать ценные указания.

— Да? Вернешься поздно?

— Даже не знаю. Как управимся, сразу домой. Я звонить буду...

— Может быть, мне на дачу съездить, на лыжах покататься? Девчонки звонили... Погода отличная, грех дома сидеть.

— А с кем? — спросил Лом. Моих подруг, как и мои отлучки из дома, он не жаловал. Я все подробно рассказала, и муженек вроде бы успокоился.

— Можно, Гена? — тонким голоском спросила я.

— Поезжай, — ответил он.

— Спасибо. Мы на лыжах покатаемся, вечером в баню...

— Так ты с ночевкой хочешь? — насторожился Лом.

— А нельзя?

— Ладно, оставайтесь, — сказал он, подумав. — Я туда приеду.

Заверив его в своей большой любви, я стала организовывать подруг. Дело это пустяковое и много времени не заняло. Через час мы отправились на дачу.

В пять отвезли Людмилу в город, остаться ночевать она не могла, а мы с Ириной прогулялись вдоль поселка, с удовольствием слушая, как хрустит снег под ногами, и в дом вернулись. Только собрались идти в баню, как под окнами затормозила машина.

— Генка, что ли? — спросила Ирина.

— Вряд ли, — ответила я. — Вот что, иди наверх и задержись там на некоторое время.

Ирина человек понятливый, поднялась на второй этаж, а я пошла открывать дверь. На пороге стоял Моисеев и скалил зубы.

— Как дела, Ладушка? — спросил он с той особой интонацией, которая вроде как предполагала, что я мгновенно брошусь ему на шею.

В ответ я продемонстрировала бездну удивления:

— Алеша? Как ты здесь оказался?

— Мимо ехал. Ты меня в дверях держать будешь или позволишь войти?

— Генки нет...

— Я знаю. А чего это ты испугалась? — хмыкнул он.

— Ничего я не испугалась. Проходи.

Он прошел, снял куртку, по дому прогулялся, но смотрел все больше на меня.

— Хорошо устроились, — сказал с улыбкой. — Умеешь... за что ни возьмешься, все у тебя получается.

— Это ты о чем? — удивилась я.

— О многом. — Он сел в кресло и поинтересовался: — Лом надолго отчалил?

— Позвони ему и спроси.

— А я тебя спрашиваю.

— Ты зачем приехал?

Лешка засмеялся, разглядывая меня с каким-то озорством.

— Выпить есть? — спросил он.

— Что? Да, есть, конечно. Что принести?

— А ты что будешь?

— Коньяк.

— Ну и я коньяк.

Я ушла на кухню, потом поднялась наверх. Шепнула Ирине:

— Позвони Генке, скажи, к нам какой-то мужик приехал, пьяный. Лада, мол, очень испугалась.

— Что-то ты на испуганную не похожа, глаза так и горят, — усомнилась подружка.

— Делай, что сказали, — хохотнула я, — а испугаться мы еще успеем. Позвони и через полчасика спускайся вниз.

— Понятно. Всегда к вашим услугам, хоть и не совсем улавливаю, в какую сторону ветер дует.

Я вернулась к Лешке. С какой стати он был так уверен в том, что я его жду и горю нетерпением, оставалось загадкой. Конечно, Танька в паре с Вовкой на многое способны, но все же нельзя быть таким дурнем.

Я села в кресле напротив. Он разлил коньяк и сказал:

— За нас, Ладушка.

Я кивнула и выпила. Через несколько минут Лешка стал томиться, разговаривать со мной ему всегда было тяжело, а теперь я и вовсе рот неохотно открывала, сидела, смотрела на него и улыбалась. Несколько раз он порывался встать, но что-то его удерживало, скорее всего сомнения в собственных силах. Хоть и слыл Лешка бабником, но дамы о его достоинствах отзывались с прохладцей. Ударить в грязь лицом ему было боязно, а отступать не хотелось. В общем, он здорово напоминал лису из известной басни. Как Танька выражается, и хочется, и колется, и мамка не велит.

Когда он вроде бы собрался с силами и направился ко мне, на лестнице появилась Ирина и весело сказала:

— Привет. А я и не знала, что у нас гости.

Лешка удивленно обернулся и заявил с легкой обидой:

— Я думал, ты одна...

— Я одна никуда не езжу. Муж не пускает, он ревнивый...

— Наслышаны, — кивнул Лешка и вроде бы успокоился. — А подруга твоя рано спать ложится?

— Да я вообще ночами не сплю, — хохотнула Ирина, наливая себе коньяка.

— Да? Спать надо, для здоровья, говорят, полезно. — Перебиваясь такими шуточками, мы продолжали сидеть. Ирина разглядывала гостя, Лешка пытался что-то понять, а я ожидала муженька.

Первыми все-таки появились Танька со Славиком. Вовка остался в машине, опасаясь попадаться дружку на глаза раньше времени. Танька вошла, на ходу сбросила шубу на руки своему спутнику и запела:

— Ба, целый дом гостей. Как отдохнула, радость моя?

— Отлично, — кивнула я.

— Пойдешь на лыжах с утра?

— Если хватит силы воли. Знаешь мой грех, люблю поспать.

Славик, устроив в прихожей свои и Танькины вещи, прошел в комнату, с Лешкой поздоровался за руку и выпил коньячка. Моисеев мало что понимал, хмурился, потому что сценарий вечера неожиданно перекосило. Но ничего не боялся. Дружеская вечеринка вместо любовного свидания слегка его раздражала, но, в общем, все в норме. Вот тут и ввалился Лом. Смотреть на него было страшно. Дверь грохнула, он шагнул вперед, ища меня глазами, увидел, что я сижу цела и невредима в компании четырех человек, и немного растерялся, но тут же заметил Лешку, зло вскинул голову и, забыв раздеться, пошел к столу. Следом появился Костя, встал у двери, наблюдая оттуда за развитием событий. На лице его блуждала улыбка — и выглядел он чрезвычайно довольным.

— Тебе чего здесь нужно? — рявкнул

Лом, подскочив к дружку. Лешка выпрямился и насмешливо ответил:

— Ехал мимо, заглянул...

— К моей жене, пока меня дома нет?

— Да брось ты... — усмехнулся Лешка, но уже стал соображать, разозлился и все сделал невпопад и неверно. Выкатил глазищи и зло заговорил: — Да ты что, Лом?

Ломик набрал в грудь воздуха и сказал несколько слов, нелитературно, но доходчиво. Из его выступления следовало, что Моисееву женщины больше не понадобятся, в принципе и навсегда. Лом двинул ногой по столу, стол взлетел в воздух, с грохотом приземлился обратно, а мы сообразили, что у муженька начался припадок бешенства, который никто и не мечтал пережить. Лешка, конечно, меньше всех, Лома он знал давно, а потому малость испугался и, видно с перепугу, напакостил себе еще больше.

— Лом, да эта сучка сама ко мне липла...

Лом отпустил его рубашку, легонько толкнул дружка на диван и с тихой лаской поинтересовался:

— Серьезно?

Неожиданное спокойствие Лома ввело Лешку в заблуждение.

— Ну...

— Она позвала тебя сюда?

Лешка под взглядом Лома заерзал, но соврать не решился.

— Нет.

— Ага. Значит, сам пожаловал.

— Лом, я...

— Ты не спеши, не спеши, сейчас расскажешь... Может, она раньше когда приглашала?

— Нет, — повторил Лешка.

— Но что-то она тебе говорила?

— Нет, — зло вскинулся Моисеев, начав наконец кое-что понимать.

— А как же липла-то, Леша? — пропел Лом.

Тот сглотнул, глядя на меня с лютой ненавистью, и ответил:

— Она смотрела... дурак поймет.

Генка засмеялся. Он стоял, скалил зубы и поглядывал на дружка.

— Вот ты и дурак, Леша. Я Ладкины взгляды хорошо знаю. Она может смотреть и прикидывать, какие себе туфли купить, и до мужика ей в тот момент нет никакого дела, а он из штанов выпрыгивает. Мне это лучше других известно, так что про мою жену мне не рассказывай... Ты зачем приехал-то, Леша?

— Она сама, она так смотрела...

— И ты поехал? Не сказал, мол, Генка, твоя жена ко мне жмется, а ты мне друг и все такое, а сюда побежал?

— Я все понял, Лом, — сказал Лешка, поднимаясь и кривя губы. — Можешь не ораторствовать. Мы друзья и все такое, только баба твоя...

Он попытался найти слово, не нашел и направился к дверям. Когда за ним закрылась дверь, Лом улыбнулся, широко и луче-зарно, и сказал:

— Каюк дружку. Кончился.

— Это точно, — согласилась Танька и до-бавила тише: — Царство ему небесное...

Оставшись с мужем наедине, я долго мол-чала. Он подошел, сел рядом, взял меня за руку.

— Гена, — позвала я, — ты ведь не дума-ешь... что я действительно хотела этого пья-ного идиота?

— Что за чушь? — нахмурился Лом. — В го-лову не бери. Я тебя знаю и верю тебе. Все.

На сей раз похороны не были такими уж пышными, и никто не решался особенно горевать по Лешке. Предпочитали сурово хму-риться и отделываться фразами типа: «Да, жизнь... вот так вот...» и тому подобной че-пухой. Кое-какие причины для этого были: Моисеева обнаружили в машине в трех ки-лометрах от города, с пятью пулями в груди, шестая в голову его доконала. Вокруг ма-шины натоптано, снег кровищей залит. На-прашивался вывод, что убийца профессио-налом не был, убитого хорошо знал, так как тот подпустил его к себе и зачем-то бродил с ним вокруг машины. Шел робкий, но упор-ный слух, что пристрелил его сам Лом, и по всему выходило, что из-за бабы. Наше при-сутствие на похоронах всех сбивало с толку. Лом сурово хмурился, и видно было, что сильно печалится из-за дружка. Остальные, глядя на вождя, тоже печалились, но, как я уже сказала, без лишних слов. Обещаний вроде: «Мы этого подлюгу из-под земли достанем» никто не давал, предпочитая тяжкие вздохи опасным обетам.

Так как законной супруги у Лешки не было, а незаконных было много, они перед церемонией малость поскандалили, пытаясь решить, кому должна быть отведена ведущая роль, и нанесли друг другу незначительные телесные повреждения. В результате на похороны ни одна не явилась, так что рыдать и бросаться на гроб было некому. Близких родственников он не имел и уже несколько лет числился в сиротах. В общем, церемония особенно не впечатляла, хотя Танька и настояла на отпевании, во время которого переминалась с ноги на ногу и с нетерпением ждала, когда запоют ее любимое. Прослушав до конца знакомые слова, подружка расслабилась, всплакнула и сказала довольно громко:

— Ох, горе-то какое...

Я не поняла, к чему эти слова относились: к Лешкиной кончине или к тому, что певчие замолчали.

Совершенно случайно и без чьих-либо стараний на кладбище Моисеев оказался рядом с Синицей. Неподалеку в полный рост стоял Святов в черном мраморе, и хоть особого сходства я не улавливала, но Танька утверждала, что он сильно походил на Ильича. Обнаружив в такой близости трех недавних соратников, в то время как дела шли на редкость хорошо и обещали быть еще лучше, мужики глубоко задумались и о Лешке вовсе перестали печалиться. Не те мысли их одолевали.

Лом стоял возле гроба, сложив руки, с прямой спиной и гордо вскинутым подбородком, и походил то ли на гангстера американской закваски, то ли на лидера какой-нибудь партии. Вокруг него образовалось пустое пространство, не слишком большое, но ощутимое. Никому и в голову не приходило, обращаясь к нему, назвать его Ломом или Генкой. Все поспешно отводили глаза, но спинами и телодвижениями демонстрировали преданность и готовность ради вождя на многое.

Мы стояли в сторонке, но в достаточной близости от Лома: я в черном, Танька в слезах, Костя в очках с золотой оправой и Славик в дорогом пальто на меху. На нас поглядывали с замешательством и некоторым испугом, и умные уже сообразили, что старые времена безвозвратно канули в небытие, а грядут новые, к которым надлежит приспособиться.

Саид, последний из оставшихся в живых давних Ломовых дружков, был, безусловно, человеком умным. Он стоял в трех шагах от Лома, за его спиной, точнее, за плечом, рядом, но сзади, и наперед не лез. Когда могилу зарыли и обложили венками, он тихо сказал:

— Да, Гена, вдвоем мы с тобой остались.

Я попыталась уловить в его голосе намек,

но услышала лишь грусть и смирение перед судьбой.

— Да, — кивнул муженек, и они на глазах у всей компании обнялись и маленько похлопали друг друга по спине. Остальные терпеливо ждали, когда Лом пройдет к машине. Он пошел, и Саид вроде бы рядом, но чуть-чуть сзади. Потом пропустили нас и с некоторым облегчением побрели к ожидавшему транспорту. На многих лицах читалась растерянность.

— А Саид умница, — сказала Танька, устраиваясь на велюровом сиденье. — Уроки истории тоже научили его кое-чему.

Я кивнула. Саид в отличие от остальных Ломовых дружков всегда вызывал у меня симпатию.

Поминки прошли без особого шика, петь хвалебные оды Моисееву никто не решился, о памятнике в полный рост тоже не заговаривали, посидели, выпили и затосковали. То ли дело в старые времена: Аркашу неделю поминали, да так буйно, что на полгода воспоминаний хватило.

Я сидела рядом с Танькой в сторонке, Лом, само собой, во главе стола, а Костя от него по правую руку, там, где раньше всегда садился Лешка. Умных это тоже на размышление сподвигло, но умных было не так много, чему я, по понятным причинам, радовалась. Саид сидел слева от Лома, вел себя скромно, пил мало, был серьезен, но особо печаль не демонстрировал. Ломик то и дело обращался к дружку, как видно, желая подчеркнуть, что их дружбе годы и невзгоды не страшны. Танька только ухмылялась, а Саид, улучив момент, подошел к нам. Надо сказать, что восточного в нем только и было что дурацкая кличка, которую он получил давным-давно из-за пристрастия к одному фильму. Фамилия у него была Пантелеев, а имя Саша, но еще много лет назад об этом начисто забыли и иначе как Саидом не называли. Я и сама лишь недавно с некоторым удивлением узнала его настоящее имя, разумеется, благодаря Танькиным стараниям. Теперь времена сменились, и о дурацких кличках следовало забыть.

Саид сел рядом, дружески улыбнулся мне и сказал:

— Хорошо выглядишь.

— Спасибо, Саша, — мягко ответила я и тоже улыбнулась. Он посмотрел куда-то перед собой и заговорил не спеша: — Редко видимся. И все больше по невеселому поводу.

— Да, — я кивнула, а потом добавила: — Кто бы мог подумать...

— Как посмотреть, — пожал плечами Саид. — О покойнике плохо не говорят, но о Лешке мало что хорошего можно сказать. Он кого угодно мог допечь. В последнее время мы с ним виделись редко, только по делам.

— Да, с Геной у них то же самое было... Все больше юношеские воспоминания.

— На них далеко не уедешь... — кивнул Саид. — Гена говорил? Я дачу выстроил. Место шикарное, озеро в трех шагах, лес.

Грибы, рыбалка. Приезжайте в гости, отдохнем по-семейному, Лариса рада будет.

— Спасибо, обязательно приедем. А можно и к нам, у нас тоже неплохо... Как дочка, в школу пошла?

— Да, первоклашка. Способная девчонка, никаких хлопот.

— Растут дети...

Еще минут пятнадцать мы продолжали беседу в том же духе, потом Саид взглянул на меня и сказал то, из-за чего, надо полагать, и затеял весь этот разговор:

— Ты знаешь, Лада, я тебя всегда уважал, а Генка мне друг, я за него в огонь и в воду... И ребятам всегда говорю: прошло то время, когда кулаками махали да торопились карманы бабками набить, сейчас жизнь другая. Мы уже давно не пацаны, у самих дети растут, о них надо думать.

— Конечно, ты прав, Саша, — согласилась я.

— Я хочу жить спокойно и погулять на свадьбе дочери.

— Нас пригласить не забудешь? — улыбнулась я.

— Само собой.

Мы еще немного поговорили, тут подошел Лом и спросил:

— Саид, ты останешься или домой?

— Домой, Гена, — скромно сказал тот. — Лариска приболела, дочку из школы забрать надо.

— Тогда поехали.

— Хитер, — сказала Танька, когда мы

были уже дома. — Как думаешь, отступится или затаится, шельма?

— Если умный, то отступится, потому что ничего ему, кроме пули, не светит. Святов был первый Ломов дружок, а теперь стоит жутким монументом на кладбище. Саид не дурак...

— Может, даже слишком умный, — задумалась Танька. — Ладно, мы за ним присмотрим. Если он по-хорошему, так и мы со всей душой.

Когда Танька вместе с Костей отбыли восвояси, Лом немного послонялся по квартире и вдруг остановился против меня.

— Ладка, — сказал он как-то нерешительно, — Саид мой давний друг, и он о тебе дурного слова не сказал... я ему желаю здоровья и долгих лет жизни.

— Так у него сегодня день рождения? — удивилась я.

— Почему? — растерялся Лом.

— Ну... ты ему здоровья желаешь и долголетия...

— Ладка, — грозно начал он, но притормозил, помолчал и добавил: — В общем, ты поняла...

Саид вел себя тихо, довольствуясь ролью давнего дружка и третьего помощника. Я оказалась права: мужик он умный.

Дела шли на редкость удачно, как вдруг в начале весны гром среди ясного неба: объявился Димка.

Возвращаясь из бассейна, я заехала в магазин, на улицу вышла нагруженная пакетами и удивленно замерла: кто-то вертелся возле моей машины. Подходя, уже знала: судьба мне приготовила подарок, и точно, парень повернулся, а я ахнула: Димка.

— Здравствуй, Лада, — сказал он и не улыбнулся. Облезлые джинсы, старая куртка, лицо бледное, глаза горят. Смотрел он на меня сурово, с затаенной болью, точно за долгом явился, который не надеялся получить.

— Дима, — пролепетала я, — ты... как же ты решился?

— По тебе соскучился, — ответил он, криво усмехнулся, оглянулся вокруг, точно место искал, где сесть, и спросил: — Поговорим?

Говорить нам было не о чем. Я это знала, догадывался и он. Но его неожиданное появление выбило меня из колеи, я растерялась, засуетилась с ключами и сказала испуганно:

— Садись в машину... Нет, за руль.

Он сел, и мы отъехали в соседний дворик, подальше от любопытных глаз.

Димка повернулся ко мне, сказал без улыбки:

— Вот и встретились...

— Да... — согласилась я, боясь поднять глаза.

— Как живешь? Рассказывай.

— Нормально. Ты как?

Он плечами пожал.

— Если сюда заявился, значит, не очень...
— Какие-то проблемы... деньги?
Он усмехнулся.

— На мой затрапезный вид не смотри, не нищенствую. Жизнь кое-как наладилась... да тоска заела. Хотел я, Ладушка, на тебя взглянуть.

— Дима, тогда в гостинице... — торопливо начала я, но он меня перебил:
— Я знаю... Вовка рассказал.

— Ты его видел? — Чем, интересно, Танька занимается? Димка в городе, а Вовка до сих пор об этом не донес. — Давно приехал?

— Вчера. Утром был у Вовки. Он мне все рассказал, про то, как Лом тебя привез, как ты с разбитым лицом ходила, а потом в больнице валялась...

Я сочла нужным заплакать, отвернулась к окну и прошептала:
— Дело старое...

— Только не для меня... Я этот год разными мыслями себя изводил, все думал, как же ты могла... и все такое, а потом·решил, поеду-ка я к Ладушке, посмотрю ей в глазки... А как Вовка стал рассказывать, сволочью себя почувствовал. Еще год назад должен был приехать, чтоб тебя от этой подлюги избавить.

Лом, с моей теперешней точки зрения, подлюгой не был, и даже совсем наоборот, а вот что там рассказал Вовка и как далеко зашел в своей дружеской болтовне, беспокоило меня чрезвычайно.

— Дима, ты себя не казни. Не мог ты тогда приехать. Себя бы сгубил и мне не помог. Лом пристрелил бы обоих. И сейчас зря приехал. Вдруг узнает кто? Боюсь я, Дима...

Он взял мою руку, крепко сжал.

— Лада...

— Подожди, — попросила я, всхлипнула, достала платок, слезы вытерла и сказала: — Дима, я... я, наверное, плохой человек, то есть я, наверное, должна была быть стойкой, держаться, не подпускать его к себе, с балкона прыгнуть или отравиться... Но я трусливая и слабая, я испугалась... и привыкла как-то... о тебе не думать и жить... прости меня, пожалуйста, прости...

— Лада... — Он обнял меня и стал торопливо целовать, а я удивилась — в душе вспыхнуло отвращение и странная обида за Лома. Неужто Танька права и я его в самом деле люблю? Я поспешила отодвинуться от Димки.

— Дима, — сказала отчаянно, кусая губы.

— Лада, любимая моя, уедем, — зашептал он, ухватив меня за колени. — Уедем, слышишь? Квартира есть, работа есть, получаю прилично. Не пропадем. Посмотри на меня, посмотри, Лада. Ты ведь меня любишь, любишь?

— Дима, я люблю тебя, — закрыв глаза, убедительно соврала я. — Только жизнь не переиграешь. Я... я беременна. — Он слегка дернулся, а я продолжила, от души радуясь произведенному эффекту: — Дима, ты пойми: мне давно не двадцать, и о ребенке я мечтала, он очень важен для меня, а сейчас и вовсе важнее всего на свете. Дима, я не могу... просто не могу.

— Господи, Лада, это твой ребенок, твой, значит, будет мне родным. Никто даже никогда не подумает... вспомни, как мы с тобой в день свадьбы на юг удрали. Тогда я тоже о всякой ерунде думал, а ты была права. Я тебя послушал и потом бога благодарил, что ума хватило... поедем, Лада, прямо сейчас... Поедем...

Вот так незадача.

— Он нас найдет, — не придумав ничего умнее, сказала я.

— Я этого подлюгу пристрелю и тебя увезу... Я люблю тебя, девочка моя, радость моя, жизнь моя, я тебя люблю.

Тут он опять набросился с поцелуями, а я совсем растерялась. Что на все это сказать?

— Дима, ради бога, — взмолилась я, — подумай, что ты говоришь? Ты хочешь убить отца моего ребенка?

Димка вскинул голову и неожиданно сурово сказал:

— Ты, наверное, забыла, Лада. Я из-за тебя родного отца убил.

Ответить на это было нечего — уж что было, то было.

— Дима, — начала я туманно, — я виновата, я знаю... Прости меня, пожалуйста, прости... Все перепуталось у меня в голове, и я уже ничего не понимаю...

— Ты меня любишь? — спросил он, чуть отодвинувшись и заглядывая мне в глаза.

Я робко ответила:

— Да.

— Вот и отлично. Поехали.

— Ничего не отлично, — покачала я головой. — Я рожу ребенка Лома. Он будет расти на твоих глазах, как постоянное напоминание о его отце.

— Не думай об этом...

— Нет, Дима. Об этом я обязана думать. Потом поздно будет.

— Хорошо, — усмехнулся он. — Тогда я сделаю тебя вдовой. Тебе придется уехать.

Я головой покачала:

— Второй раз мне тебя из тюрьмы не вытащить. — Не грех было напомнить, что он мне тоже кое-чем обязан. — Я не хочу всего этого... Дай мне в себя прийти и все решить спокойно. Ты же знаешь, я найду выход. И убивать никого не придется. А уехать прямо сейчас я не могу. У меня с собой даже паспорта нет...

Он шарил по моему лицу взглядом, силясь отгадать, что со мной происходит. Я же хотела только одного: остаться в одиночестве, успокоиться и принять решение.

— Ясно, — сказал он, убирая руку с моего плеча.

— Что ясно?

— Конечно, ты права. Ты должна решать сама. Решай. Но я хочу, чтобы ты знала: без тебя я не уеду.

Мы помолчали, и я робко спросила, желая сменить тему:

— Где ты остановился?

— В гостинице «Советская».

— Она теперь не так называется, — грустно улыбнулась я. Гостиничный комплекс с казино, ночным клубом и двумя ресторанами с некоторых пор принадлежал нам, Димка об этом, конечно, не знал. Я провела ладонью по его лицу и добавила: — Я боюсь за тебя, вдруг кто-то узнает... Давай позвоним Таньке, устроим тебя на ее даче. Вполне возможно, что мне понадобится несколько дней. Я хочу быть за тебя спокойна.

— Хорошо, — подумав, согласился он.

На счастье, Таньку удалось застать на работе.

— Мне нужна твоя помощь, — заявила я. — Дима приехал...

— Мать его... — Танька охнула и, помолчав, спросила: — За тобой явился? С претензиями?

— Он меня любит, — жалобно сказала я.

— Конечно, это я помню. И ты его, да? А ведь в городе нашему мальчику появляться нельзя. Кто-нибудь особо шустрый заметит, узнает и донесет Лому.

— Этого я и боюсь.

— Пусть укроется на даче. Местечко просто создано для того, чтобы там прятались беглые уголовники.

— Танька! — рявкнула я. Димка был рядом и, конечно, все слышал.

— Говорю, как есть. Где вы сейчас?

— На проспекте Мира, во дворе за магазинами.

— Вот там и ждите. Я минут через пятнадцать подъеду, сопровожу твоего любимого.

— Не скажешь, что она обрадовалась, — усмехнулся Димка.

— Она боится, но поможет.

Танька появилась не через пятнадцать минут, а через десять, с лицом разгневанной фурии.

— Привет, — кивнула Димке. — Вот уж кого не ждали.

Тот немного растерялся. Такого приема со стороны Таньки он, как видно, не ждал.

— Мало тебе прошлого раза, когда еле ноги унесли, так ты опять за приключениями явился.

— Не за приключениями, — буркнул он, — а за Ладой.

Танька слегка подпрыгнула, начала багроветь и свирепеть и на меня покосилась. Я скромно потупила глазки.

— Сговорились, значит, — проявила она догадливость, тяжко вздохнула и, испепелив меня взглядом, добавила: — Никак опять в бега?

— Хватит болтать. — Я нахмурилась и тоже продемонстрировала гнев. — Спрячь Димку на даче.

— В подвале запереть? — съязвила она, но, уловив мой взгляд, тяжко вздохнула и мрачно сказала: — Поехали, герой-любовник. Укрою.

Я заревела от досады, тоски и беспомощности, Димка кинулся меня утешать, а Танька маялась рядом и на нас взирала без одобрения и видимого сочувствия. В конце концов Димка сел в ее машину, махнул мне рукой, и они отбыли, а я еще немного постояла, глядя им вслед и пытаясь прийти в себя. Потом отправилась домой. Лом отсутствовал, чему я от души порадовалась. Слонялась по квартире и размышляла. Рокки, почуяв неладное, путался под ногами, жалобно поскуливая. «А что с ним делать? — подумала я, глядя на рыжую бестию у своих ног. — Не могу же я бросить животное? Он будет в отчаянии, а перемена климата дурно отразится на его здоровье. Нет, я должна думать о любимом существе... Жаль, что для Димки это не явится серьезной причиной. Ну и что, у меня своя голова на плечах...» Пока я ломала голову, пытаясь найти выход из создавшегося неприятного положения, вернулась Танька. Прошла на кухню, забыв снять шубу, и стала потолок разглядывать.

— Устроила? — спросила я. Она кивнула:

— Устроила. — Подумала и добавила обиженно: — Не можешь ты меня бросить...

— Замолчи, ради бога, — разозлилась я.

Только Танькиного нытья мне недоставало. Подружка закусила губу и выглядела совершенно несчастной.

— Положим, на пару дней мы его спрячем, — начала она недовольно. — И что?

Долго прятаться он не будет, характер не тот. А Лом узнает, что он в городе, уже сегодня.

— Конечно, — хмыкнула я.

— И вовсе не потому, что я донесу, — нахмурилась Танька еще больше и вроде бы даже оскорбилась. — Он в какой гостинице остановился? То-то... Там Саид. Если он его не засек, так кто-нибудь из мальчиков расстарался. Димка — Аркашин сынок, покойного, царство ему небесное, в городе хорошо знали, да и сыночек в газетках промелькнул. Среди ста дураков непременно отыщется один умник, который вспомнит и куда следует сигнализирует. И что получится? Мы прячем беглого преступника на своей даче. Но это, конечно, полбеды. Донесут Лому, а может, уже донесли. Господи, прости, и как ты перед ним выкручиваться будешь? Ох, Ладка, смотри — твое прошлое сидение нагишом за счастье покажется. Лом в тебе души не чает и при таком раскладе, рассвирепев, запросто пришибет под горячую руку. Потом, возможно, опечалится и решит, что погорячился, но тебе от этого легче не станет.

— Все? — гневно спросила я, встав перед Танькой с видом драчливой собаки. — Высказалась?

Подружка уронила горькую слезу и жалобно сказала:

— Как близкий человек, я была обязана тебя предупредить.

— Предупредить должен был твой Вовка.

— Он пытался, — вступилась Танька за возлюбленного. — Звонил, а у меня совещание, болтать с ним было некогда, к тому же он понес околесицу, и я грешным делом решила, что он с утра набрался, и трубку бросила. Оказалось, зря. Тебе он, само собой, звонить не рискнул.

— Отчего ж? — удивилась я.

— Ну... не по рангу... Опять же, через голову начальства наверх не докладывают. Мой-то, может, и дурак, но понятие имеет.

— Воспитание, — рявкнула я и по кухне закружилась. — Димка у матери был?

— Ночевал. А потом к моему заявился. Вчера вечером был у тебя, на прежней квартире то есть. Валерочка обошелся с ним невежливо, а о тебе и вовсе говорить не пожелал. Я ж докладывала — мадам его с должности слетела, он дал ей отставку, а замену еще не нашел, оттого бедствует и злится. Послать, что ль, на бедность по старой памяти? Вроде как пожертвование на благотворительные цели?

— Пошли, — согласилась я.

— И правильно, доброе дело, оно в нужном месте всегда зачтется. А мужик видный, чего ж добру пропадать?

— Ты про Димку рассказывай. — Танькино желание увести разговор в сторону действовало мне на нервы.

— А что Димка? Явился вчера вечером, к тебе направился, ничего путного не узнав, поехал к матери, время позднее, искать тебя на ночь глядя затруднительно. Перед этим в гостинице устроился. Паспорт, кстати, тот, с которым год назад отсюда когти рвал.

Между прочим, сработано специалистом, я имею в виду паспорт, раскатывает с ним человек целый год и никаких тебе подозрений. — Заметив, что я нахмурилась, Танька покончила с очередным отступлением и вернулась к Димке: — Так вот, устроился в гостинице и поехал к матушке. Та рыдала от счастья и страха за любимое чадо, ночевать уговорила дома. Утром он чуть свет поднялся и кинулся искать возлюбленную, то есть тебя. Для начала пошел в справочное, где, заплатив малые деньги, узнал, что ты сменила фамилию и проживаешь по адресу заклятого врага. Это произвело на него сильное впечатление, он весь год думал, что ты с денежками из Минска сбежала, не вынеся тяжкой доли изгнанницы, но допустить, что ты за Лома замуж пойдешь, и в самых своих скверных мыслях не мог. Прекрасный образ дал основательную трещину, а Димка вспомнил про дружка и решил прояснить ситуацию, оттого и заявился к Вовке. Зол был чрезвычайно и грозился всех порешить. К тебе были особые претензии. Вовка слезно поведал об истинном положении вещей. Димка стенал, стонал и каялся, после этого вознамерился тебя спасти. Только вот от чего спасти, душа моя?

— Танька, ты не устала? Может, чайку попьешь? — съязвила я. Злиться на подружку было нечестно, но так уж человек устроен: кто попадет под горячую руку, тому и отсыпят.

— Не хочу я чаю.

— Тогда иди, родная.

— Куда? — не поняла она.

— Домой. Иди-иди. Сейчас вернется муж, а у тебя такой вид, что он с порога начнет подозревать меня во всех смертных грехах. А мне это ни к чему, особенно теперь.

— Ладушка, — жалобно протянула Танька и даже слезу из себя выжала, но я была непреклонна.

— Иди. На даче есть продукты? Не хочу, чтобы Димка там с голоду умер...

— Оно, может, и неплохо бы... есть там продукты, — разозлилась она. — По крайней мере, на сегодня хватит, а завтра после обеда съезжу. У меня вопрос — как долго он намерен там проживать? Я не из любопытства спрашиваю, а из-за продуктов.

— Пару дней...

— А потом?

— Да уйдешь ты наконец? — разозлилась я. Танькина способность задавать вопросы, на которые я не могу найти ответ, доводила до бешенства. Танька ушла, на смену ей, с интервалом в полчаса, за которые я так и не успела придумать что-нибудь путное, явился муженек. Ничего злодейского в нем обнаружить не удалось, и я вздохнула с облегчением — еще не знает. На всякий случай стоило быть с ним поласковее. Лояльность к мужу я демонстрировала древним как мир способом, и он через некоторое время уснул в состоянии полного блаженства. Я же, осторожно выскользнув из супружеских объятий, вновь заметалась по квартире. Впору было заламывать руки и кусать губы. Ни одной ценной мысли, как заставить Димку покинуть город раз и навсегда, не нанеся при этом чересчур большого вреда его ранимой душе.

Поначалу я искренне надеялась, что, стоит мне зарыдать, жалобно глядя в его глаза, он все поймет и отбудет, сказав на прощание: «Будь счастлива». Но Димка за год сильно переменился, это я сразу заметила, и «будь счастлива» я от него вряд ли услышу. Тут уместно было вспомнить, чей он сын. Родитель его отличался злокозненностью, упрямством и дурным нравом.

Вдруг зазвонил телефон, я подпрыгнула и вытаращила глаза, сообразив, что на даче художника Петрушина, где ранее неизвестные злоумышленники держали в заточении меня, а теперь прятался Димка, имелся телефон и возлюбленный вполне мог им воспользоваться. Говорить с ним я была не готова, с другой стороны, настойчивые переливы звонка могли разбудить Лома, и если он узнает, что это Димка, то худший вариант и придумать трудно. В общем, я бросилась к телефону и прошептала:

— Да... — Конечно, это был Димка.

— Лада...

— Я не могу говорить, — испугалась я. — Он дома.

Повесила трубку, поскучала, а обернувшись, увидела муженька. Он стоял в дверях и взирал на меня пока еще без подозрения, но уже недоуменно. А я попыталась отгадать, слышал ли он последнюю фразу, произнесенную трагическим шепотом.

— Кто звонил? — спросил муженек, и я по голосу поняла: слышал.

— Какая-то женщина. Спросила тебя.

Лом удивленно поднял брови.

— Вроде бы ты сказала «он дома».

— И вовсе нет. Я сказала «его нет дома». Кто это тебе звонит по ночам? — Я попробовала придать себе грозный вид, но сама чувствовала, что не выходит. Недоумение Лома сменилось подозрительностью.

— Может, я не слишком умный, но уж точно не глухой, — заявил муженек и направился ко мне. Я поежилась и попыталась решить, в какой из углов комнаты лучше смотреть, чтоб не встретиться с ним взглядом. Лом подошел, сгреб меня за плечи и легонько встряхнул: — Кто звонил?

— Я ведь уже сказала, — мяукнула я и поспешно добавила: — Что тебе взбрело в голову? На свете полно сумасшедших, которые любят звонить по ночам и портить людям жизнь.

Лом постоял, посверлил меня взглядом, а я прижалась к его груди и жалобно вздохнула. Постояв так некоторое время, мы вернулись в спальню.

Однако, несмотря на мои старания, успокаиваться он никак не желал. В самый неподходящий момент вдруг спросил:

— Почему ты встала и ушла из спальни? Ждала звонка?

— Да ты с ума сошел? — возмутилась я не столько его провидческому дару, сколько нежеланию попадать под мои чары. Я насторожилась, ожидая, что вслед за этим последуют угрозы с красочным описанием моей участи. Ничего подобного. Муженек молчал, потом, привычно обняв меня, уставился в потолок. Я решила притвориться спящей. Он притворяться не стал, пялил глаза в темноту. Потом осторожно освободил плечо от моей божественной головки и, приподнявшись, с минуту меня разглядывал. Я надеялась, что ресницы дрожат не слишком заметно и в темноте он это не углядит. Вдоволь налюбовавшись, Лом ненадолго затих. Однако уснуть он не мог. Начал ворочаться, пару раз отчетливо вздохнул, потом поднялся и побрел на кухню. С интервалом в несколько минут я прокралась следом. Муженек стоял возле открытого балкона и курил, а, между прочим, два месяца назад бросил курить и держался стойко... Ночь была морозная, кухню быстро выстудило, а я разозлилась: разве можно стоять раздетым у открытого балкона, ведь простудится... Проявлять заботу о муже я сочла в тот момент неразумным и на цыпочках вернулась в спальню.

Лом пришел через полчаса, холодный, как ледышка, и, кажется, несчастный. Заглянул в мое лицо, помаялся немного и лег на спину, закинув руки за голову.

Утром никуда не спешил, точно у него был выходной от всех дел. Я прикидывала и так и эдак, стоит ли задавать вопросы. С одной стороны, спросить о делах вполне естественно, вчера утром я так бы и сделала, но в свете последних событий мой вопрос может быть расценен как желание поскорее избавиться от муженька. Я измучилась, извелась и окончательно поняла, что иметь секреты от любимого себе дороже.

Ко всему прочему пугал телефон. Он мог зазвонить в любую минуту. Что мне тогда делать? Несколько раз я готова была все рассказать, но характер мужа мне был хорошо известен, Димка для Лома точно красная тряпка для быка, и, что последует за моим признанием, догадаться нетрудно. А Димке я зла не желала. Мне просто очень хотелось, чтобы он вдруг оказался за тридевять земель и не имел возможности оттуда вернуться.

Отказавшись от мысли о чистосердечном признании, я стала обхаживать мужа, чувствуя, что слегка переигрываю и тем вызываю еще большие подозрения. Разозлившись на себя, Лома, Димку и все человечество, я взялась за дело всерьез, не забивая голову тем, как мои действия выглядят со стороны, и в конце концов добилась отменного результата: Лом подобрел, помягчел и поклялся в любви. После чего, с аппетитом проглотив обед, удалился туда, где и должен был пребывать с самого утра. Я легла в ванну с горячей водой и на всякий случай предупредила сама себя:

«Ни о чем я больше не желаю думать».

В половине пятого позвонила Танька.

— Его нет на даче, — заявила она, забыв поздороваться.

— Что? — пытаясь оценить эту новость, спросила я.

— Что слышала. Он удрал. И где сейчас — неизвестно. Вовке не звонил... — Танька помедлила и не без робости поинтересовалась: — А тебе?

— Нет. Где он может быть? У матери? Пошли Вовку...

— Вовка здесь, со мной. Матери уже звонили, там он не появлялся. Она считает, что он уехал. Так он, по крайней мере, ей обещал. Дружков беспокоить не рискуем: ежели они не в курсе, что он приехал, так зачем им об этом сообщать?

— Мудро, — согласилась я, подумала и попробовала утешить Таньку: — Он объявится... Вряд ли уедет, не попрощавшись со мной.

— Это уж точно, — вздохнула Танька. — На всякий случай стоит проверить гостиницу...

— И он вполне мог вернуться на дачу, — подсказала я. — Скучно стало, и он пошел прогуляться...

Не знаю, что успокоило подружку больше: мои доводы или мое пребывание в родной квартире.

Не прошло и часа после Танькиного звонка, как позвонил Димка.

— Лада...

— Дима, — ахнула я. — Я так испугалась. Танька сказала, что ты исчез с дачи...

— Прятаться там не буду, подвал ваш хуже тюрьмы. Я в гостинице, 420-й номер. Жду тебя. — В голосе звучал легкий намек на шантаж. — Ты приедешь? — спросил он.

— Сейчас не получится, — попробовала поюлить я. Неудачно.

— Я тебя жду, Лада. Надеюсь, ты не забудешь прихватить с собой паспорт.

Я перезвонила Таньке.

— Только не говори, что ты пойдешь к нему. — Подружка была напугана и даже не желала этого скрывать. — Не можешь ты быть такой дурой... Если Лому донесут, тебе конец.

— Прекрати каркать, — разозлилась я.

— Ты туда не поедешь. Он спятил. Как ты можешь там появиться? Тебя любая собака сразу узнает. И не мечтай, что пройдешь незаметно. Ты не умеешь ходить незаметно, ты это просто не умеешь... Ты пойдешь?

— У меня по расписанию в шесть нольноль шейпинг. Вот туда и отправлюсь.

Я бросила трубку и в самом деле начала собираться. Ненавижу, когда что-то в жизни складывается по-дурацки, вот просто ненавижу, и все.

С шейпинга я вернулась в девять часов. Дома меня ждал сюрприз: в гостиной осколки стекол, тех, что были дверцами шкафов, посудой и разными дорогими моему сердцу безделушками. И Лом, сидящий в кресле, с бледным лицом, взглядом полутрупа и кулаками в крови.

— Господи боже, — прошептала я, оседая на диван. Он, кстати, был цел, крушили исключительно быстробьющиеся предметы. Лом поднял голову, а я поежилась, но впадать в панику не спешила. Первый припадок должен был изрядно его вымотать, так что на второй просто сил не хватит. — Что ты тут вытворял? — собравшись с силами, сурово спросила я. Муженек мутно взглянул на меня, поднялся и ушел в ванную. — И не думай, что я стану здесь убирать, — крикнула я вдогонку. Он ничего не ответил.

С этого вечера Лом переменился. Говорил мало и односложно, «да», «нет», смотрел на меня пристально и хмуро, молчал. Причина его неожиданного буйства стала ясна на следующее утро. Еще не было семи, когда позвонила Танька. Ночь я провела скверно. Лом допоздна смотрел телевизор в гостиной, потом пришел в спальню. Я делала вид, что сплю, он лег и повернулся ко мне спиной, а я просто обалдела, настолько подобное зрелище было непривычным. Однако иногда лучше промолчать, и я промолчала, но страдала и мучилась, задремала лишь под утро, телефонный звонок меня перепугал. Спросонья я вскочила, мало что соображая. Лом уже снял трубку, должно быть, не спал.

— Да, — бросил резко.

Танька с легкой дрожью в голосе сообщила:

— Я только что узнала — вчера вечером в гостиничном номере обнаружен Димкин труп. Только не говори, будто ты не знал, что он здесь ошивается. Я думаю, надо собраться и обсудить данную проблему.

— Не вижу проблемы, — заявил Лом, бросил трубку, взглянул на меня и поднялся. Надо полагать, я побелела как полотно, потому что муженек спросил: — Воды принести?

— Не надо, — пискнула я и рухнула на подушки.

Итак, Димку кто-то узнал, донес Лому, и тот его убил. Боже ты мой... Мне срочно понадобились подробности, иначе как мы, черт побери, сможем выбраться из дерьма?! Лом точно воды в рот набрал, на меня смотрел вскользь, и я не спешила с расспросами. Иногда излишняя поспешность хуже бездействия. Надо дать ему возможность прийти в себя, а потом уж поговорить.

С этого дня начались вещи малоприятные и даже странные. Во-первых, Лом по-прежнему молчал и говорить вроде бы вообще не собирался. По ночам то демонстрировал мне спину, то кидался точно зверь, но и тогда мало напоминал моего муженька: даже дурацкое распевное «Ладушка» я уже не слышала. Меня это очень тревожило, хотя не так давно способно было довести до бешенства.

Мы собрались на военный совет. Я кратко обрисовала ситуацию, особо указав на то, что при лютом Ломовом молчании мое влияние на него практически сводится к нулю.

— Думаешь, убил он? — недоверчиво спросила Танька.

— А кто еще? Все сходится... он узнал, что Димка в городе, а тут еще этот телефонный звонок... поехал в гостиницу, они поссорились, и он его убил.

— Никакой ссоры, — заявил Костя. — Будем придерживаться фактов. Этот ваш... Димка получил три пули, две в грудь и одну в голову. Выстрелов никто не слышал, так же, как какого-либо подозрительного шума, криков и так далее... Лом, если это был он, вошел и застрелил парня...

— Какая, в сущности, разница, — поморщилась Танька. — Наша задача избежать неприятностей. — И на меня посмотрела, как на основной источник этих самых неприятностей.

— Костя, — задумчиво сказала я, — у моего муженька не хватит ума совершить «идеальное убийство», скорее всего он натоптал, как слон... Надо позаботиться об алиби.

— Это просто, — опять влезла Танька, — на момент убийства мы с Костей были у вас в гостях. Мы люди уважаемые, нам поверят...

— В том случае, если не будет веских доказательств, что убил Лом, — заметила я.

С некоторым стыдом я вынуждена была признать, что смерть Димки сама по себе печалила меня много меньше, чем трудности, которые она автоматически влекла за собой. Основной трудностью был Лом. Он продолжал вести себя очень странно, играл в молчанку, заметно меня сторонился, а в глазах читалась затаенная боль. Это было вовсе ни на что не похоже: не мог он так переживать гибель давнего врага. Конечно, с мужем необходимо было поговорить, но я, против обыкновения, нужных слов не находила, прятала глаза, а оставшись одна, ревела. В общем, ситуация сложилась абсурдная.

Свою лепту внес Костя, он явился после беседы с Ломом и пребывал в полном недоумении.

— У него есть алиби? — спросила я, теряясь в догадках, почему задаю этот вопрос Косте, а не собственному мужу.

— Нет. — Выражение, с которым это «нет» было произнесено, мне особенно не понравилось.

— Значит ли это, что Димку убил он?

Костя вздохнул, снял очки, протер стекла и ответил:

— Лом заявил, что в случае чего возьмет убийство на себя.

— В случае чего? — опешила я.

— Что за случай он имеет в виду, отвечать отказался. Усмехнулся и головой покачал. Тогда я спросил прямо: «Значит ли это, что убил ты?»

— И что он ответил?

— «Какая разница? Будем считать, что я».

— Да он спятил?

9*

— Очень похоже, — согласился Костя. — Во всем этом есть нечто загадочное, а помогать нам отгадывать загадки он не спешит.

— Что же делать?

— Исходить из того, что Лом — убийца.

— Ты его вытащишь? — спросила я. Вышло испуганно.

— Разумеется.

Более-менее успокоенная, я стала поджидать мужа с намерением поговорить с ним.

Лом подъехал через полчаса, я увидела его из окна и с облегчением вздохнула. Но из машины он выходить не стал, посидел в ней минут пятнадцать и медленно тронулся с места. Это было вовсе ни на что не похоже. Бегом я бросилась к своей машине и стрелой вылетела со двора. Лома заметила сразу, он ехал медленно, по правой стороне и вроде бы никуда не надеялся приехать. Я пристроилась за ним, пытаясь понять, что он затеял.

Он остановился возле парка. Вышел из машины, хлопнул дверцей и побрел по аллее, запахнув куртку и слегка поеживаясь. Я поставила свою машину и вошла в парк. Лома обнаружила не сразу. В одной из тихих аллей он сидел на скамейке, курил, задумчиво глядя перед собой и мало что видя вокруг. Меня он точно не видел, хотя я стояла метрах в пяти от него. Ломик вздохнул, отбросил одну сигарету и сразу же закурил другую. Мне стало ясно: он страдает. Не выдержав такого зрелища, я направилась к мужу. Наконец он меня заметил, поднял голову, вроде бы удивился. Я села рядом и взяла его за руку.

— Почему не пошел домой? — спросила тихо.

Он пожал плечами:

— Хотел прогуляться.

— Я бы с удовольствием поехала с тобой. — Ломик не ответил, а я, помолчав, спросила: — Что случилось? Ты меня больше не любишь?

Сигарету он отбросил, очень серьезно посмотрел на меня и заявил:

— Я тебя люблю. Любил и буду любить. — Поднялся, протянул руку и сказал: — Ладно, пошли домой.

— Гена, — торопливо залепетала я, ухватившись за его локоть, — ни о чем не беспокойся. Я говорила с Костей, он все сделает. В тюрьму ты не сядешь.

— Я тюрьмы не боюсь, — усмехнулся Лом, глядя на меня насмешливо и как-то странно. — И сяду, если понадобится...

— Что за глупые мысли, — возмутилась я. — Выброси их из головы. Даже если ты убил...

Он вдруг засмеялся. Это было неожиданно, и я растерялась.

— Что тут смешного? — спросила, а он мне сказал:

— Ты чего передо мной комедию ломаешь? Перед остальными пожалуйста, а передо мной не надо...

И что я должна понять?

— Гена, — попыталась я еще раз, — ты ведешь себя странно. Ты не хочешь обсудить проблему и... кой черт ты постоянно долдонишь, что готов сесть в тюрьму? — не выдержала я.

Он хохотнул и сказал с тигриной лаской:

— Я готов. Я сидел и точно знаю, что тюрьма — не сахар. И уж тебе там точно не место.

— Мне? — опешила я и наконец начала кое-что соображать. — Ты считаешь, что я убила Димку?

Лом дернулся, отвел глаза, потоптался на месте и облизнул губы.

— Ты так считаешь? — повторила я. Он нахмурился. — Господи боже, но почему? — Теперь я почти кричала.

— Потому что все сходится, — неохотно ответил Лом. — Мне кто-то позвонил и про Димку сказал, подленько так, со смешком. Я поехал домой, тебя не было, стал тебя искать. Танька на звонки не отвечала, и ты тоже. Тут мне стало ясно, кто накануне тебе звонил и почему ты вела себя так по-дурацки. Я поехал в гостиницу, понял, что ты там, со своим щенком.

— В номер поднимался? — испуганно спросила я.

— Нет.

Я с облегчением вздохнула, но тут же усомнилась.

— Почему? Это на тебя не похоже...

— Боялся я, Ладушка, — сказал он и глаза отвел, — увидеть тебя с этим... тогда уже не переиграешь. А так... может, смог бы справиться, не думать то есть...

— Ты решил, что я к нему поеду? — вытаращила я глаза. Из этих самых глаз по щекам покатились слезы, самые горькие за всю мою сознательную жизнь. Увидев, что такое делается с моими глазами, муженек затих и нахмурился, а я сказала: — Как ты мог подумать такое?

— А что я должен был думать? — разозлился Лом.

— Господи... как ты мог? — покачала я головой.

— Ты была там? — теряя уверенность, спросил муженек.

— Конечно, нет.

— Ты наврала, что Костя с Танькой сидели у нас, тебе нужно было алиби...

— Я думала, что алиби нужно тебе.

Ломик сел рядом и, сграбастав мои руки, спросил:

— Постой, Ладушка, что-то я ничего не понимаю. Это не ты его убила?

— Я? — У меня едва глаза не выскочили. — Как тебе это в голову пришло?

— Ну... я подумал, вы могли разругаться, он сболтнул что-то или ударил тебя, и ты... а потом испугалась и мне не решилась сказать, ведь пришлось бы объяснять, что ты там делала...

— Полный бред, — покачала я головой. — Мне даже в голову не пришло ехать в гостиницу. Я действительно боялась сказать тебе, что он пожаловал, все прикидывала, как половчее от него отделаться. Он позвонил, хотел, чтобы я к нему приехала. Делать этого я не собиралась и отправилась на шейпинг.

— О господи, — простонал Лом и даже за голову схватился. — Конечно, ведь была среда... а у меня из головы все вылетело. Я ж тебя везде искал, а потом сидел возле гостиницы, ждал, когда ты выйдешь.

— Для кого мое расписание висит на холодильнике? — вздохнула я. — Сколько неразберихи из-за того, что я побоялась сказать тебе правду. — Я заревела, теперь уже без горечи, а скорее от счастья, и прижалась к мужу. Он меня обнял и торопливо стал целовать. Несколько дней молчания вконец его доконали, теперь он не мог остановиться.

— Сидел я в машине, как дурак, минут тридцать, потом не выдержал, позвонил Саиду. Велел послать кого-нибудь в номер. Не входить, чтобы потом разговоров не было, а просто стукнуть там или еще чего... ну, чтобы ты испугалась и домой бросилась, а Саиду доложили, что в номере покойник. Я велел там все убрать, боялся, как бы ты чего не оставила. Ну и решил, если менты тебя зацепят, в общем...

— Ясно, — кивнула я. — А нельзя было со мной поговорить?

— Нельзя, — обиделся Лом. — Поначалу я думал, что парни труп тихонько вывезут и говорить ни о чем вообще не придется. Но все как назло: в гостинице полно народу, тут еще менты пожаловали с каким-то рейдом. А дура-горничная зачем-то в номер попёрлась. Одно к одному...

— Ты должен был со мной поговорить, — покачала я головой.

— Да не мог я с тобой говорить. Душу жгло, хоть волком вой, все думал: явился щенок, и ты к нему побежала, разом забыв, что между нами было...

Лом запечалился и с томлением посмотрел на меня.

— Дурачок ты, — улыбнулась я, притянула его за уши и поцеловала. — Разве я не говорила, что тебя люблю?

Лом уткнулся в мои колени и запел:

— Ладушка, солнышко, девочка моя... прости. Это все ревность проклятая, сам извелся и тебя мучил...

— То-то, прости... — сказала я. — Пожалуй, я не меньше тебя виновата. Надо было сразу сказать, что Димка объявился, а я тебя рассердить побоялась, и вот результат... видишь, к чему недоверие приводит? Теперь никаких секретов друг от друга.

— У меня их сроду не было, — обиженно заявил Лом и с некоторой настороженностью уставился на меня.

— И у меня не будет, — заверила я.

— Честно? — спросил он.

— Век свободы не видать...

В семействе воцарились мир и спокойствие, а следствие зашло в тупик. Кто убил Димку, оставалось тайной. На его похоронах я не присутствовала. Заявись я, и Димкина мать, пожалуй, устроила бы скандал.

Димка был наполовину евреем, наполовину атеистом, хоронили его без священника, оттого Танька отказалась присутствовать на церемонии.

На третий день после похорон я решила съездить на кладбище и, памятуя недавние клятвы, честно призналась в этом мужу. Он вызвался меня сопровождать.

— С чего это вдруг? — удивилась я.

— Так, — пожал он плечами. — В конце концов, он Аркашин сын, а мы с Аркашей долго... дружили.

Думаю, муженьку просто хотелось убедиться, что я не начну заламывать руки в тоске и отчаянии по бывшему возлюбленному. Рук я не заламывала, а проявила любопытство. Если Димку убил не Лом, как я думала, и не я, как думал Лом, то кто? Кто-то, кому он открыл дверь, пустил в номер и позволил трижды в себя выстрелить. Большого количества кандидатов на эту роль не набралось, поэтому спустя пару месяцев, когда страсти поутихли, дело было закрыто и все потихоньку улеглось, я спросила Таньку, когда мы с ней сидели в кафе, ели мороженое и благодушествовали.

— Кто убил Димку? — спросила я, как бы между прочим, вскользь и без особого любопытства. Танька нахмурилась, сморщила нос и отвернулась. — Ну?

Подружка тяжко вздохнула:

— Я, конечно.

— Зачем?

Танька пожала плечами:

— Испугалась. Как говорится, старая любовь долго не забывается. Ты женщина сердечная, разжалобить тебя несложно. Навыдумывала бы разного дерьма и сбежала с этим мальчишкой. Конечно, позднее поняла бы, что дурака сваляла, но... Не могла я тебе позволить сделать глупость.

— Ясно. Хороша подруга.

— Ладно, — отмахнулась она. — Димка мертвый, я живая, а если любишь — простишь. Так, что ли?

— Так. Но ведь не ты стреляла, верно? Не могла же ты быть такой дурой, чтобы пойти и самой его убить. Даже при всей любви ко мне...

— Само собой. Стрелял Вовка...

Я все-таки подавилась мороженым. Танька постучала меня по спине, ворчливо заметив:

— Поаккуратнее...

— Спасибо... Неужто Вовка дружка убил?

— А куда ему деться? — Она вздохнула.

— Да-а-а, — покачала я головой, — никому верить нельзя.

— Почему? Я верю тебе, ты — мне, а остальным, пожалуй, и в самом деле ни к чему.

В самом начале лета, в субботу, ранним утром, когда нормальные люди еще спят и просыпаться не собираются, к нам ворвалась Танька. В дверь звонили нагло и настойчиво, муженек слабо пошевелился и сказал:

— Гранату бы...

Мне стало жаль его, и я прошептала:

— Не просыпайся, я открою, — и потопала в коридор, придумывая, что бы такого сказать Таньке. В том, что в дверь звонит она, сомнений не было.

Подружка выглядела такой очумелой, что все подготовленные слова где-то потерялись, а я только и смогла спросить:

— Что?

— Вчерашнюю газету видела? — пробормотала Танька.

— Какую?

— О господи... — Она полезла в сумку и достала газету. Выходила она в нашем городе по пятницам, вчера я ее просматривала и не нашла ничего особенного, в общем, не стоило по-дурацки врываться в мое жилище и поднимать людей в такую рань. Что-то вроде этого я и сказала Таньке. Она затрясла головой и ткнула пальцем в раздел «Происшествия». Заметка была маленькой, вчера я на нее не обратила внимания. В ней говорилось, что вечером 7 июня гр. М., находившийся под воздействием наркотиков, изнасиловал несовершеннолетнюю А., при этом жестоко избив девочку. В тяжелом состоянии она доставлена в больницу, М. с места преступления скрылся и в настоящее время разыскивается милицией.

Я поморщилась и сказала:

— Ты знаешь мое мнение насчет наркоты.

— Знаю, Ладушка, знаю, — пританцовывая рядом, заверила Танька. — Как ты думаешь, что это за девочка, скромно обозначенная буквой А?

— Понятия не имею, но, судя по тому, что ты выглядишь совершенно ненормальной, это что-то интересное.

— В самую точку, Ладушка. Это Ася Астахова. — Сначала я даже не поняла, и только когда Танька с довольной ухмылкой прибавила: — Единственная дочка Станислава Федоровича, — я сообразила, что речь идет о нашем основном противнике.

— Ты это серьезно? — с некоторым сомнением спросила я.

— Конечно. Проверила, все так и есть. Девочка сейчас в областной больнице, состояние тяжелое. Жена Астахова, кстати, тоже в больнице, у нее со здоровьем всегда были проблемы, а здесь такое горе... В общем, инфаркт. Астахов мечется между больницами и молит бога, чтобы тот не оставил его вдовцом и не лишил дочери.

— Этот М., кто он, дружок девочки?

— Нет. Девчонка дружка не имела и в свои четырнадцать лет вообще была на редкость тихая. В тот вечер задержалась у подруги, позвонила домой. Родители подружки отправились ее провожать и в троллейбус посадили, так как время было позднее. Вот там этот сукин сын к ней и пристал. Кондуктор его хорошо запомнила. Этот гад приставал к девчушке, а она пыталась не обращать на него внимания. И вдруг очередной перебой с энергоснабжением. Девчонке надо бы в троллейбусе остаться рядом с кондуктором, а она вышла. На остановке ее мать ждала, и она заторопилась. Возможно, и прошла бы эти несколько десятков метров без происшествий, но, как на грех, рядом парк. Сукин сын затащил ее в кусты и изнасиловал. Девчонка отчаянно сопротивлялась, он ее жестоко избил, скорее всего и убил бы, но мать, заметив замершие троллейбусы, пошла навстречу дочери, услышала крики и спасла девочку. К сожалению, сукин сын удрал, но многие его видели и опознали.

— Кто? — спросила я. История меня взволновала. Танька положила передо мной два листа бумаги, я быстро их просмотрела. — Вот это да... — сказала, нахмурясь.

Танька головой закивала:

— Он двоюродный брат Душмана, а у них это близкая родня.

— Где этот сукин сын... как его...

— Алик, — махнула рукой Танька. — Они все Алики...

— Ну и как думаешь, где он?

— В бегах. В городе ему сейчас мало не покажется.

— А мы его найти сможем?

— Почему бы и нет? Кто-то ведь его прячет... и вообще, не так много мест на свете, где он мог бы укрыться. Главное, сколько денег мы готовы выложить.

— Скажем, миллион, — усмехнулась я.

— Ну, Ладушка, за такие бабки мы черта лысого найдем, а не только нехристя чумазого. Вопрос — живым или... ты ж понимаешь, с покойничком-то проще. Я имею в виду транспортировку и все такое...

— А вот это надо кое с кем обсудить.

— Ломику доложимся?

— Нет. Думаю, мне надо с Астаховым встретиться, а у Лома где мужик — там непременно подозрения, ревнив у меня муж... Обождем пока...

— Будем искать мальчика?

— Конечно, да смотри, чтоб нас менты не опередили.

— Куда им, у них зарплата, у нас баксы. Обгоним.

— Как бы мимо не проскочить. И вот еще что: мне нужен телефон Астахова.

— Домашний или рабочий?

Я посмотрела на Таньку:

— Рабочий. Человек должен знать, с кем имеет дело.

Я выждала три недели, за это время Астахов вернулся на работу. Жена его чувствовала себя нормально, с дочерью дела обстояли хуже. Ей предстояла еще одна сложная операция с перспективой остаться инвалидом на всю жизнь. От матери девочки правду скрывали, опасаясь, что такого потрясения ей не пережить. Конечно, грех чужому горю радоваться, но для нас все складывалось лучше не придумаешь.

Я позвонила в десять утра. Услышав во-
просительное «да», поинтересовалась:

— Могу ли я поговорить со Станисла-
вом Федоровичем? — Меня соединили с
начальником.

— Слушаю, — сказал он.

— Здравствуйте, Станислав Федорович. —
Я перевела дыхание, прикрыв трубку рукой. — Я хотела бы встретиться с вами и поговорить. Речь идет о вашей дочери.

— О моей дочери? — спросил он после
паузы с некоторым недоверием.

— Да. Я хотела бы кое-что с вами обсудить.

— Кто вы?

— Мое имя вам ничего не скажет. Как
насчет завтрашнего дня? Например, в двенадцать, на перекрестке возле парка отды-
ха? — Он молчал, и я добавила: — Значит,
завтра в двенадцать я вас жду, — и повесила
трубку. Если нам повезет и он согласится...

Я вызвала Костю, и мы обсудили ситуацию. Ловушки я не боялась и ничем не рис-
ковала. В половине двенадцатого мы выехали одновременно из разных точек города на
четырех машинах: Костя, Танька и Вовка
должны были проверить, «пасут» меня или
нет.

Я встала в нескольких метрах от пере-
крестка. Ровно в двенадцать появился Астахов на своей «Волге». Я собралась мигнуть
ему фарами, но он уже хлопнул дверью и
направился ко мне. Выходило, что зря вре-

мени он не терял. Открыл дверь моей машины.

— Здравствуйте, Станислав Федорович, — сказала я. — Садитесь, пожалуйста.

— Здравствуйте, Лада Юрьевна. — Я улыбнулась, он усмехнулся и заметил: — Вы звонили из своей квартиры, значит, хотели, чтобы я знал, с кем имею дело.

— Разумеется, — согласилась я. — Так проще вести беседу. Вы не возражаете, если мы немного прокатимся?

— Не возражаю.

Я свернула к озеру, проехала несколько метров и затормозила почти у кромки воды.

— Хорошая погода, — улыбнулась я и вышла. Астахов тоже вышел, посмотрел на меня с насмешкой. Я достала два полотенца, расстелила их в густой траве и стала раздеваться. Вокруг полно отдыхающих граждан, в основном ребятишки.

— Станислав Федорович, — сказала я с улыбкой. — В таком месте вы выглядите нелепо в костюме и при галстуке.

Он усмехнулся и заметил:

— Вы, Лада Юрьевна, часом в разведке не служили?

— Боже упаси. Из меня никудышный разведчик. Но фильмы про них смотреть люблю, а иногда это поучительно.

Как бы то ни было, через десять минут мы лежали каждый на своем полотенце и со стороны выглядели обычными отдыхающи-

ЧЕГО ХОЧЕТ ЖЕНЩИНА

ми. Таньки нигде видно не было, и это внушало оптимизм.

— Со вступлением мы покончили, — сказал Астахов. — Давайте перейдем к делу. Я знаю, кто вы. Точнее, я знаю, кто ваш муж. С бандитами дел не имею и не буду, даже если речь идет о моей дочери. Однако не скрою, мне интересно, что хочет предложить Геннадий Викторович, или Лом, как угодно...

— Лом вам ничего предложить не может, потому что об этой встрече не знает. И скорее всего не узнает никогда.

— Забавно. Что дальше?

— Вы можете не поверить, но мной движет нормальное человеческое желание помочь... подождите секундочку, выслушайте... Я не знаю, что вам обо мне известно. Скорее всего у вас нет повода думать обо мне особенно хорошо, но я женщина, и случившееся произвело на меня впечатление. Вряд ли милиция сможет найти этого типа. Но мы его найдем.

— Мы? — Станислав Федорович хохотнул. — Помнится, вы только что заявляли, что ваш муж ничего не знает.

— Конечно. Мы — это я и еще несколько человек, разделяющих мою точку зрения.

— И у вас есть возможности?

— У нас есть деньги, — в свою очередь усмехнулась я, сделала паузу и продолжила: — Вы скорее всего не поверите, но кое в чем мы с вами союзники.

— В чем? — спросил Астахов.

— Мы хотим избавить наш город от мерзкого зелья.

Астахов засмеялся и покачал головой.

— Ну вот, не поверили...

— Я знаю, что Лом наркотой не занимается, — кивнул Станислав Федорович. — Решил сменить окраску и избавиться от конкурентов?

— Сменить окраску я ему никогда не позволю.

— Ясно. Некоторые изменения в вашей... команде наводили на интересные мысли... выходит, Лом ничего не решает?

— Извините, но дело это внутрисемейное и вас не касается. Я предлагаю вам союз. Через несколько месяцев этой дряни в городе не будет. Конечно, мы не можем вычистить поголовно всех мелких торговцев, это нереально. Но одно обещать могу: ничего похожего на настоящий бизнес. Мы почистим город, и дышать станет легче. Само собой, вы получите этого сукиного сына, где бы он ни прятался.

— Вы всерьез думаете, что можете меня купить?

— Нет, конечно. Мы ж не дураки. Кое-что о вас знаем и купить не рассчитываем. Договориться, да. Мы выполняем работу правоохранительных органов, а вы делаете вид, что этого не замечаете. Я вас не прошу выдавать государственные тайны или освобождать наших ребят. Извините, справимся без вас. Просто не мешайте. И в городе будет тихо.

— Представляю, — усмехнулся он.

Я вздохнула.

— Станислав Федорович, у меня с наркотой свои счеты. Пока я в силах, буду с этим бороться. Может, звучит забавно, но что есть, то есть.

— Мне известно о вашем брате, — сказал он.

— Разумеется. Несколько строк на листе бумаги: шестнадцатилетний парень, кололся уже полтора года. Поздно вечером был задержан патрулем, оказал сопротивление, ножом убил одного милиционера и ранил другого. Потом поднялся на крышу родного дома и бросился вниз. Умирал долго и мучительно. Это то, что знаете вы... Мои родители так и не смогли смириться с этим. Мне было девять, но я уже тогда точно знала, чтó в мире худшее зло.

— Ваша история производит впечатление. Более того, я вас понимаю. Но сути это не меняет.

Я улыбнулась.

— Знаете, у меня есть подруга. Она утверждает, что человечество с веками не умнеет, отказываясь учиться на собственных ошибках. Люди видят, как растет и крепнет зло, но вязнут в собственных амбициях, рассуждениях, сварах, а потом зло их проглатывает и властвует, а каждый индивидуум в отдельности умывает руки и заявляет:

«Я не поступился своими убеждениями». Не правда ли, занятно? Давайте проявим мудрость и объединимся против общего зла. Точнее, заключим краткое перемирие. Потом ничто не помешает нам колошматить друг друга. Я буду наживать деньги путем неправедным, а вы проявлять доблесть в борьбе со мной.

Астахов засмеялся, глядя на ребятишек, играющих в воде.

— Невероятно, — покачал он головой. — Очень поучительный экскурс в историю... Не ожидал, что могу услышать нечто подобное от вас.

— Мы не враги, по крайней мере сегодня.

— Допустим. И как вы представляете себе наше сотрудничество?

— Вы делаете свое дело, мы свое, и вы закрываете на это глаза. Почему бы не попробовать?

— Лада Юрьевна, — начал он, я покачала головой.

— Не торопитесь... Этого типа мы найдем в любом случае, независимо от того, согласны вы или нет. О нашем разговоре никто не узнает — разумеется, от меня. Если наша беседа только и останется беседой, будем считать, что я просто сделаю доброе дело, сдав правосудию преступника, из человеческих, так сказать, побуждений.

Я поднялась и стала одеваться. Астахов тоже оделся. Мы молча сели в машину, и я отвезла его к перекрестку, где он оставил свою «Волгу».

— До свидания, — сказала я, и он ответил:

— До свидания.

Танька сновала вокруг стола и смотрела на меня с томлением. Костя курил и разглядывал потолок.

— Что думаешь? — не выдержала Танька.

— Ничего.

— Почему б тебе не применить свое искусство обольщения?

— Дура, — скривилась я. — У тебя на него досье на восемьдесят страниц. Он добродетелен, как свежеиспеченный монах. Какое, к черту, обольщение?

— Ну, никогда не знаешь... мужик он молодой и вообще...

— Нельзя всех стричь под одну гребенку. Себе дороже...

Тут мы посмотрели на Костю. Он понял наш взгляд, пожал плечами:

— Все зависит от того, что для него дороже: семья или долбаная совесть. Дела у девчушки плохи, жена, считай, инвалид... Захочет поквитаться с судьбой, и он у нас в кармане. Сказав «а», говорят и «б», а там и весь алфавит до самого конца.

Семьей Астахов дорожил, горе жгло ему душу. Мы встретились еще раз и доверительно побеседовали. Пришлось мне кое-что рассказать ему. Особой опасности я в этом не видела. Забавно, но вскоре между нами установились нормальные человеческие отношения. Астахов мне нравился. Он был честен, но не до такой степени, чтобы считаться идиотом. А с умным человеком всегда проще...

В конце июля я позвонила Астахову домой.

— Здравствуйте, Таню можно?

— Вы ошиблись, — ответил он. Через час мы встретились в тихом переулке возле церкви. Прошлись вдоль ветхих домишек, встали на вершине холма, откуда открывался прекрасный вид на реку, мост через нее и раскинувшиеся внизу сады.

— Станислав Федорович, — начала я, — мне очень жаль, но передать преступника в руки правосудия не удастся.

— Не сработал основной двигатель любого дела? — усмехнулся он.

— Двигатель сработал. Но, как вам известно, он брат одного человека...

— Он что, заплатил больше?

— Он пытался его защищать. В общем, предать суду труп, по-моему, невозможно. Мне очень жаль, но у ребят была твердая установка — если нельзя привезти живым, то... Хотя, может, они просто поленились тащить его через всю Россию. И привезли это. — Я открыла сумку. Астахов сначала не понял, потом поморщился. — Он дважды привлекался, так что отпечатки у вас имеются...

— Без надобности, — глухо сказал Астахов. — Я вам верю.

— И я вам. Иначе не явилась бы сюда с его лапой.

— Пора всерьез браться за конкурентов, — заявила я Таньке, когда мы с ней обедали по-домашнему. Она заскочила с работы, выглядела довольной и уже раз пять успела сказать: «Делишки идут...»

— Конкуренты? — враз насторожилась она. — Не можем мы воевать на два фронта. Как же твой великий план борьбы с наркотой?

— Сама говоришь, дела идут. Надо смотреть в будущее.

— Ленчик? — с тяжким вздохом спросила Танька и запечалилась.

— Ленчик, — кивнула я.

— Ладка, боязно мне... может, повременим? Ленчик мужик крутой, задираться с ним опасно. У нас мир, дружба и ананасы пополам. Чего на рожон лезть?

— По-настоящему опасен только он сам.

— Может быть. Только я не вижу, как мы провернем это дело. Киллер? И согласится ли Лом?

— Ему об этом знать ни к чему. Сделаем дело, а там он и сам сообразительность проявит.

— Сделаем дело, — передразнила Танька. — Легко сказать... Вовку, что ли, пошлем? Только ему с Ленчиком и тягаться. Тот везде с охраной, и вообще он умный...

— Так и мы не дуры...

— Со стороны привлекать человека опасно, а из наших на такое дело никто не годится.

— Ерунда. Подойдет твой Вовка.

Танька даже подпрыгнула.

— Зарываешься, Ладка, перспективу теряешь... Вовка... ему только пьяным ублюдкам «КамАЗы» подставлять или в дружка пальнуть в упор... И то под моим чутким руководством...

— А если Ленчик будет без охраны, да еще и без штанов, сможет твой Вовка с ним управиться?

Танька посидела с открытым ртом и ахнула:

— Шутишь?

— Век свободы не видать...

— Ладушка, красавица моя, когда ж ты его подцепила?

— Давно. Надобно будет встретиться, всколыхнуть в душе воспоминания. Займись этим: где, когда, и чтоб все совершенно случайно.

— Сделаем, радость моя, — пропела Танька и тут же обиделась: — Почему мне раньше ничего не рассказывала?

— Про запас держала. Ты баба бойкая, давно бы загорелась ему песенку спеть, а было не ко времени. Теперь, пожалуй, в самый раз. Уложим Ленчика, и вот тебе Империя.

— Хлопот будет много, — покачала головой Танька. — Молодняк полезет, свято место пусто не бывает, а они страх какие шустрые...

— На самых опасных заведи досье. Пока

Ленчик жив, мы должны знать всех возможных претендентов. А как споем, вышлешь стрелков и уложим всех в один присест. Желательно в течение часа. Чтоб в себя прийти не успели.

— Свят-свят, — сказала Танька и перекрестилась. — Жуткое дело затеваем, Ладка.

— Ничего, справимся. Наша забота Ленчик, а там Лом потрудится. У тебя все должно быть готово — адреса, местонахождение на нужный момент и все такое...

— Не учи. Поняла...

— Вот и отлично. Схватка за трон всегда кровава. К финишу подходим.

— Косте скажем?

— Нет. Ленчик наша с тобой проблема: твоя, моя и Вовкина. Ну? — усмехнулась я.

Танька почесала нос и, хохотнув, ответила:

— Заметано.

С Ленчиком мы встретились в казино. Он был с дамой, я с мужем. Мужчины поздоровались за руку и осведомились друг у друга: «Как дела?» Всерьез на эту глупость отвечать никто не собирался, потому обошлось обычным «нормально». Дама у Ленчика была так себе, а рядом со мной и вовсе никуда не годилась, потому я возле нее задержалась. Она в рулетку выигрывала и глупо радовалась. Я проигрывала с блуждающей улыбкой. Лом победно ухмылялся, сравнивая нас, и очень скоро Ленчик начал злиться. И правильно. Его подружка годилась разве что в официантки, хоть и была выше меня на полголовы и моложе лет на пять. Время от времени я поглядывала на него и одаривала особенным взглядом. Тут его подружка рот открыла, на радостях, что выиграла кое-какие гроши. Смотреть на нее и вовсе стало забавно. Только не Ленчику. Было заметно, что ему очень хотелось ее придушить. Что ж, подружек надо выбирать осмотрительнее.

Улучив момент, когда Лом ушел за выпивкой, а прелестная дама все еще вертелась у рулетки, я подошла к Ленчику, призывно улыбаясь.

— Шикарно выглядишь, — сказал он с легкой грустью и добавил между прочим: — Давно не виделись...

— Все никак не удается... — В этом месте я улыбнулась шире и попросила, понижая голос: — Завязывай так смотреть. Муж у меня ревнивый.

— Боишься? — усмехнулся он, облизывая губы.

— Боюсь, — кивнула я. — Не то давно бы нашла возможность с тобой встретиться.

Он вскинул голову, внимательно посмотрел, в общем, проявил живой интерес. Я отправилась навстречу мужу, демонстрируя Ленчику свою легкую походку. Надеюсь, ему было о чем подумать.

В казино мы находились довольно долго, друг к другу больше не подходили, но взглядами обменивались. Я вкладывала в них всю душу. Как любит выражаться Танька — покойника проймет. Ленчик покойником еще не был, и, как выяснилось позднее, проняло его основательно.

Я несколько дней размышляла, где бы могла свести нас с ним судьба и что такое позабористей ему следует сказать, как он неожиданно позвонил. На такое я не рассчитывала и немного растерялась, чем очень развеселила Ленчика.

— Узнала? — спросил он.

— Ты с ума сошел, — вроде бы испугалась я, — а если бы Лом трубку взял?

— Как ты мужа-то боишься...

— Конечно, боюсь...

— Всегда можно что-то придумать, — заметил Ленчик.

— Он никуда из города не выезжает, — в тон ему ответила я.

— Днем он редко бывает дома...

— Возможно, и что?

— Мы могли бы встретиться и немного поболтать... о разном.

— Не годится, тебя в городе каждая собака знает, а народ у нас любопытный.

— На свете полно тихих мест...

— Не думай, что я не думала об этом... но... очень опасно. Кто-то из охраны обязательно проболтается. Ты и жена Лома... Такое не пропустят... — Ленчик засмеялся, а я молила бога, чтобы у него хватило глупости на что-нибудь решиться.

— У меня есть дача. Тихое место, в сторонке... в общем, ни души. В пятнадцати километрах от старого городского кладби-

ща. Свернешь у развилки направо, там еще
ключик есть... увидишь...

— Нет, — теряя твердость, сказала я. —
Он меня убьет.

— Кто, Лом? Брось, откуда он узнает?

— Он без конца звонит.

— Придумай что-нибудь...

Демонстрировать волнение не пришлось,
я в самом деле была взволнована.

— Нет, — сказала, подумав. — Прости,
нет... Обязательно кто-нибудь увидит.

— Кто? Только я и ты, и никакой охраны.

— Я не знаю...

— Дом на отшибе, за дубовым забором.
Его не пропустишь, подъедешь, посигналишь
два раза. Жду завтра, в двенадцать. Идет?

— Подожди. Я... мне надо подумать...

— Нечего думать, — хохотнул он и добавил с хозяйской интонацией: — Приедешь, —
и повесил трубку.

— Конечно, приеду, — улыбнулась я и
головой покачала: мужская половина чело-
вечества вызывала жалость своей доверчи-
востью.

Я позвонила Таньке, бросила коротко:

— Готовь Вовку. Завтра в двенадцать.

— Ладушка, цветочек мой, — пропела
она, но дурака валять перестала и сказала
серьезно: — Рискуем.

— Я люблю шампанское, — хмыкнула я.

— А я выражение «они жили долго и
счастливо».

— Империя — это единоличная власть

ЧЕГО ХОЧЕТ ЖЕНЩИНА

императора, а не мелкие герцогства, где каждый мнит себя владыкой.

— Ладно, не заводись. Решили, значит, так тому и быть. Ох, маетно мне...

Наутро, проводив муженька, я стала готовиться к любовному свиданию. Полежала в ванной, думая о приятном. Ленчик был мне симпатичен. После смерти Аркаши я могла обратиться за помощью к нему, и он бы не отказал... Тогда я была влюблена в Димку... Как ни крути, а Ленчик мой должник: от Лома спасла его я, стоило мне глазом моргнуть — быть Ленчику покойником. Я немного помечтала: предположим, не было Димки, я обратилась бы к нему за помощью... и стала бы его любовницей, а с моей способностью прилипать надолго, точно репей, пребывала бы в этой роли и по сию пору. Я рассмотрела эту идею подробно, и она мне не приглянулась. Ленчик не из тех, кто бабу к делам допустит, и, кроме тряпок да сомнительной любви, мне там ничего не светило. Выходит, выбор я сделала правильный. Поздравив себя с этим, я устроилась перед зеркалом и провела полтора восхитительных часа в созерцании небесных черт и прочего богатства, так щедро отпущенного мне природой. Потом вдруг загрустила. Ленчик видел во мне глупую красивую бабу, которой не терпится наставить мужу рога. И относился ко мне соответственно. Если бы он пригляделся и немного подумал... Надеюсь, это все-таки не придет ему в голову.

Я решительно поднялась, взглянула на

часы и стала одеваться. В половине двенадцатого направилась к машине, села, завела мотор и перекрестилась.

В машине Вовкиными стараниями накануне были сделаны кое-какие изменения. С виду совершенно незаметные. Они должны были помочь Вовке тайно проникнуть на дачу.

Я свернула к старому кладбищу и сразу же увидела Таньку. Она курила на обочине, хмуро пялясь на дорогу. Я притормозила.

— Где Вовка?

— Здесь. Где ж ему быть?

Вовка появился из кустов, сел на заднее сиденье и откинул спинку.

— Пролезешь? — усомнилась Танька.

— Тренировался, — буркнул он. В нем чувствовалась нервозность. Думаю, он отчаянно трусил, но держался молодцом. Мы еще раз коротко прошлись по трем возможным вариантам. Первый, самый скверный: машина остается перед воротами. Вовке придется преодолевать забор, а мне определить, имеется ли сигнализация и как ее отключить. Второй, чуть лучше: машина во дворе, значит, мне надлежит позаботиться только о том, чтобы Вовка проник в дом. Третье, нам повезло: там вовсе нет никаких систем, и моя машина возле самого крыльца... значит, Вовке стоит только войти в подходящий момент и выстрелить один раз и наверняка. Лучше в упор. Моя задача — дать Вовке эту возможность.

— Все помнишь? — со вздохом спросила возлюбленного Танька.

— Да заколебали вы... Помню. Поехали.
Вовка устроился в багажнике, а я сказала:

— На веселое дело идем, Вовка.

— Чего? — проворчал он.

— У него двойка по литературе. Все. Ни пуха, — махнула Танька рукой и дверцей хлопнула. А я тронулась с места.

Дача Ленчика оказалась двухэтажным бревенчатым строением за дубовым забором. Доски плотно пригнаны одна к другой, так что дом не очень-то и разглядишь: красная крыша да кусок балкона. Я подъехала к деревянным воротам, красиво обитым железными полосками, и дважды посигналила. Прошло несколько минут. Ворота стали со скрипом открываться, а я увидела Ленчика.

— Машину загонять? — спросила я, открыв окно.

— Ставь к крыльцу, — усмехнулся он. — Не стоит твоей тачке глаза людям мозолить. — Ленчик выглядел чрезвычайно довольным.

Я к крыльцу подъехала и вышла из машины, оставив дверь открытой. Во-первых, Ленчику не мешало убедиться в том, что машина пуста, во-вторых, Вовке легче — шуметь понапрасну не стоит.

Я ждала, стоя на крыльце, пока он закроет ворота, Ленчик подошел, я шагнула ему навстречу и сказала:

— Не знаю, чего мне больше хочется: сбежать или остаться.

— Остаться. Тебе просто нужно, чтобы я стал тебя уговаривать, просить и все такое... да?

— А ты будешь?

— Что?

— Уговаривать, просить и все такое? — засмеялась я.

— Не буду, — хмыкнул он.

— Может, тогда я зря приехала?

— Тебе понравится, — заявил Ленчик и обнял меня. Я вложила в поцелуй всю страсть, которую только смогла обнаружить в себе. Сильной страсти способствовал тот факт, что в доме вовсе не было никакой охраны. Ни в виде мордастых и на многое готовых ребят, ни последних технических достижений. Вообще ничего. Обычный деревенский дом за высоким забором. И Ленчик решил здесь со мной встретиться... С ума сойдешь от такого везения...

— Покажи мне дом, — попросила я, демонстрируя некоторую неловкость.

— Особенно смотреть нечего, — сказал он. — Дом как дом. Здесь рыбалка хорошая. Вот и наведываюсь.

— Рыбалка? — удивилась я. — Вот уж не знала, что ты рыбак.

— Точно. А ты моя золотая рыбка. Сколько у тебя времени? — поинтересовался Ленчик.

— Лом придет в семь, значит, в шесть мне надо быть дома.

— Тогда не стоит тратить время на ерунду, — сказал он и взял меня за руку. Я всегда уважала деловых людей. Тянуть и разводить волокиту в самом деле не стоило.

Не знаю, чего ожидал от меня Ленчик, но под напором моего бурного темперамента малость подрастерял свою обычную самоуверенность. Что у него были за подружки, мне неведомо, но в любви он был искусен, как сапожник в кондитерском деле. Тут я некстати вспомнила одну его подружку и мысленно фыркнула. В общем, как говорит в таких случаях Танька, мужиком он был на слабую троечку. Из кожи вон я лезла совершенно напрасно, и малой толики моих усилий хватило бы с избытком. Короче, слезу по случаю своей ранней кончины он из меня вряд ли выжмет.

Ленчик уже некоторое время жалобно поскуливал, уткнувшись носом в подушку рядом с моим ухом. Тут и вошел Вовка. Я испугалась, что скрипнула дверь, и тоже застонала, даже взвизгнула. Вовка вытянул руку, а меня полоснула нелепая мысль: «А ну как он и меня уложит?»

Ленчик так ничего и не услышал. Вовка нажал на курок, а я дернулась и грязно выругалась:

— Твою мать... Да убери ты его с меня.

Я сползла на ковер, стараясь не смотреть на то, что осталось на подушке. Вовка выкатил глаза, открыл рот и на меня уставился с видом деревенского дурачка в Эрмитаже.

— Чего вытаращился? — рявкнула я. — Тащи канистру. Сожги все, здесь полно моих отпечатков.

С большим опозданием я сообразила, что в доме нет ничего похожего на душ. Баня в огороде: пожалуйста. В общем, Вовке здорово досталось. Вымылась я кое-как, он меня поливал из ведра, быстро оделась и пошла к машине. Вовка, загрузившись двумя канистрами, вернулся в дом. Выскочил, открыл ворота, а когда я стремительно выехала со двора, опять закрыл.

Танька сидела на пенечке и, не стесняясь, грызла ногти. Завидев машину, вскочила:

— Ну?

— Спели.

Я занялась своим внешним видом, а Танька номерами. Хотя дом Ленчика и стоял на отшибе, кто-то из особо любопытных мог заметить машину, потому номера поменяли.

Пока мы возились каждый со своим делом, появился Вовка. Бежал он через лес, сильно запыхался и вообще выглядел неважно. Тер лицо руками и вроде бы трясся.

— Эк тебя разбирает, — разозлилась Танька, — можно подумать, в первый раз.

— Да если кто узнает... — начал он.

— Не каркай. Ленчик — покойник, и забудь о нем. Все сделал, как велели?

— Все.

— Хорошо полыхает?

— В самый раз.

— Соседи бы не бросились тушить, — нахмурилась я.

— Это вряд ли. Богатеев в народе не жалуют. Подождут, пока основательно выгорит. Вот если б ветер в сторону деревни, но ветра вовсе нет...

Мы устроились в машине и поехали на кладбище. У Таньки здесь родители похоронены, и сегодня как раз была годовщина смерти ее матери. Так уж совпало. Танька позвонила Косте.

— Ленчик помер, — сказала коротко. — Через несколько часов об этом будут знать в городе. Ты все понял?

— Лом в курсе?

— О смерти конкурента еще не знает. Ты сообщишь: сгорела дача Ленчика, там обугленный труп, Ленчик исчез, выходит, труп — он и есть. Что в этом случае делать, Лом отлично знает. Все, кто опасен, у нас под присмотром. Проследи, чтоб никто не ушел.

— Ясно. Я к Лому, будем в конторе... Вы где?

— На кладбище, у мамы годины, вот Ладуля меня и сопровождает.

Костя вроде бы удивился, но на вопросы времени не было.

Мы с Танькой зашли в будку сторожа, подружка поздоровалась и дала денег.

— Своих навещали? — заискивающе спросил слегка подвыпивший дядька. Тяга к бутылке в таком месте была извинительной.

— Да, проведала, — вздохнула Танька, — с подругой посидели, помянули...

— А я на днях прибирался... слежу за порядком то исть.

— Спасибо.

Мы простились и двинули к машине.

— Какое ни на есть, а алиби. Точное время этот хмырь ни за что не вспомнит...

Вовка ждал в машине и нервничал, телефон звонил непрерывно, а спросить, кто нас домогается, он не решался. Домогался Лом.

— Ладуль, ты где?

— С кладбища едем.

— Ладуль, у меня здесь Костя, говорит, Ленчик помер...

— Что ж... Помер и помер... Ты ведь знаешь, что делать...

— Ага... езжай-ка ты домой, я кого-нибудь из ребят пришлю, мало ли что... Самому заехать вряд ли получится.

— Никого присылать не надо. Народ не сразу опомнится... Я тебя очень жду...

В одиннадцать вечера позвонил Астахов.

— Что происходит? — спросил он резко.

— Ничего особенного, — заверила я. — К утру все будет тихо.

Разговаривать далее он не пожелал, чему я не огорчилась.

Лом вернулся под утро, усталый, но довольный. Вместе с ним прибыли Костя и Саид. Победу отпраздновали скромно, по-семейному. Засиживаться не стали: нервы требовали передышки, всем хотелось спать. Оставшись с мужем, я крепко его обняла и расцеловала. Лом повел себя неожиданно: взял меня за плечи, легонько встряхнул и сказал, заглядывая в глаза:

— Вот что, радость моя, я на многие твои выкрутасы смотрю сквозь пальцы, но кое-что усвой сразу и на всю жизнь. Я своей женой не торгую... — В этом месте я вытаращила глаза, а Ломик продолжил: — Я выразился ясно?

— Гена, ты с ума сошел...

— Возможно. Ленчика пристрелили на даче, в упор, в затылок. Кого он так близко подпустил? И что делал там без охраны?

— У него что, врагов мало? — попробовала разозлиться я.

— Заткнись, — сказал Лом. — Вот что я думаю, дорогая. На даче он был с бабой, в городе им светиться не хотелось, он и потащился с ней в тихое место, да еще и без охраны, чтоб никто о бабе этой проболтаться не мог.

— Гена, — по-настоящему перепугалась я.

— Заткнись, — повторил Лом. — Спаси господи, если хоть что-нибудь услышу. В гробу я видел вашу Империю, если за нее надо женой платить... Будешь нагишом в четырех стенах сидеть, а я соберу все деньги да разведу во дворе костер, а потом пойду к кому-нибудь в подручные, кулаками махать, чтоб тебе веселее было.

— Гена, — пискнула я и заревела с перепугу.

— Все поняла? — спросил он. Я кивнула. — Не слышу.

— Поняла, — жалобно сказала я и потянулась к любимому зализывать свежие раны.

На следующий день в контору прибыла делегация. Я, против обыкновения, поехала с мужем, скромно устроилась в комнате рядом с его кабинетом с намерением послушать, что скажут умные люди. Назвав их умными, я им здорово польстила. Ситуацию они не прочувствовали и начали с претензий. Лом завелся уже через десять минут, и вокруг все стихло. Танька сидела на подоконнике, дрыгала ногами и ухмылялась, прислушиваясь к тому, что происходит в соседней комнате. Голосовые связки мужа мне было жаль, и вообще бушевать по пустякам не стоило. Я появилась в дверях и тихо сказала:

— Не изводи себя, милый. У людей большое горе, они хотят поторговаться.

Первое, что сделали люди: малость обалдели от моего появления на пороге, а еще оттого, что Лом не заехал мне дверью по носу, а подошел и пропел:

— Радость моя, тебе скучно? Потерпи немножко...

Все утро я старательно избавляла любимого от опасных подозрений, попутно наполняя уверенностью в моей искренней любви. Лом все еще находился под впечатлением и готов был простить что угодно.

Пока народ все переваривал, прошло какое-то время. Его хватило на то, чтобы самые сообразительные поняли — торговаться не получится. Нечем то есть. Хорошо, если по доброте душевной Лом живыми отпустит. Выражение на лицах прибывших сменилось, а муженек, погладив мою ручку, вдруг успокоился и даже хохотнул. Я удалилась, слыша, как он весело пропел:

— Ну, что надумали?

Нет, скучно мне точно не было.

Мы парились с Танькой в бане. Танька лежала на верхней полке и постанывала. Больше трех минут в парной я не выдержала, вскочила и кинулась в бассейн. Подружка появилась минут через пять, не раньше. Устроилась с термосом неподалеку, мне чашку чая подала. Пить, бултыхаясь в воде, неудобно, и я вылезла из бассейна.

— Хорошо, — покачала головой Танька.

— Да, — согласилась я. Хорошо-то хорошо, но чего-то Танька маялась. Я стала к ней приглядываться. Уловив мои заинтересованные взоры, подружка вздохнула протяжно и сказала:

— Вовка меня беспокоит.

— Бабу завел? — удивилась я.

— Не в этом дело. Много воли взял. Вроде шантажирует, по-глупому, но тенденция отчетливо прослеживается... придется ему спеть.

Я закашлялась и посмотрела на Таньку.

— Ты ведь его любишь?

— Люблю, конечно. Но, по-честному, тебя я люблю больше. Ну и себя, конечно, тоже... После смерти Ленчика Вовка наглеть стал. Прикинь, если Лом узнает, в каком виде тебя Вовик застукал на момент трагического происшествия.

Я поежилась.

— То-то, — кивнула Танька.

— Кого пошлем? Лишние разговоры нам ни к чему...

— Я с ним сама разберусь, по-семейному.

— Спятила? — удивилась я.

— Ну, за это время я кое-чему научилась... И вот еще что. Таблетки жрать завязывай, роди Ломику сына. Он на чужих детей смотрит с заметной тоской. Нечего мужику комплексы наживать. Поняла?

— Отстань, — отмахнулась я, но задумалась.

Через три дня машина, в которой находился Вовка, взлетела на воздух, прямо под Танькиными окнами. Хоронить, в сущности, было нечего, но Танька за ценой не постояла, церемония вышла торжественной, я бы сказала, с некоторым шиком. Певчие выводили «Со святыми упокой...», а Танюшку держали под руки. Она рвалась к любимому, собрать которого так и не удалось.

Вовкина гибель была расценена как злобный выпад поверженных конкурентов, Лома она скорее удивила, нежели взволновала, а в милиции ее и вовсе списали на обычные бандитские разборки.

— Ведь как чувствовал, — причитала Танька по дороге с кладбища, — последнее время мы и не ссорились ни разу, он меня все Танюшенька да Танечка... И вот... ох, господи. И ведь, когда уходил, посмотрел на меня и говорит: «До скорого». Улыбнулся так, по-особенному, махнул рукой и пошел... — Танькин стон перешел в рыдания, я тоже глазки вытерла, сострадающий Костя обнял Таньку, сжав ее нежную ладошку, а она доверчиво прильнула к нему. С некоторых пор они относились друг к другу с заметной нежностью, выходило, что Вовка умер вовремя, да и за Костей, по Танькиному мнению, все же следовало приглядывать. «Уж больно умный», — неодобрительно отзывалась она. Мне стало завидно чужому счастью, и я потеснее прижалась к мужу.

Ломик ужинал и сообщал мне последние новости.

— Зверек на жену жаловался. — С вестей, так сказать, политических он перешел на бытовые темы.

— Что так? — проявила я интерес к этому сообщению. Дурацким прозвищем Зверек обзавелся из-за фамилии Зверев; на настоящего зверя он не тянул и по сию пору ходил в Зверьках. Впрочем, парнем был вполне приличным, и я относилась к нему хорошо.

— Говорит, заколебала. Пацана в музыкальную школу записала, а теперь еще и в английскую. А там какой-то конкурс, экзамены, что ли, в общем, муштрует парня.

И Зверек злится, на хрена, мол, мужику музыка и английский в придачу, мы и по-русски не очень, да ничего, живем.

— А ты что? — заинтересовалась я.

— Говорю, охота тебе с бабой связываться. Хочется ей пацана в эту школу отдать, сходи сам, заплати бабки, пусть учится, и жена подобреет.

— Между прочим, жена Зверька мудрая женщина, — задумчиво сказала я.

— Да? — насторожился Лом. — Это почему?

— Потому что сыну учиться надо и человеком стать.

— Оно конечно, — согласился Лом. — Чем с женой скандалить, сходил бы сам...

— Не получится, — покачала я головой. — Я сама в этой школе училась и много о ней знаю. Денег там вот так просто из его рук не возьмут. Тут знакомства важны, ну и, конечно, из какой семьи ребенок. Привилегированная школа, всегда такой была и осталась: педагоги, врачи, ну и начальство всех рангов туда деток устраивает.

Лом нахмурился и даже вилку в сторону отложил, так ему обидно стало:

— А мы что же это, рожей не вышли? И пацану Зверька туда хода нет?

— Есть. У меня там подруга завучем, устроим. Оставь телефон, позвоню его жене, поговорю.

Ломик заулыбался и за руку меня к себе подтянул:

— Добрая ты у меня баба, Ладка.

— О людях надо проявлять заботу, — усмехнулась я. — Человек ты теперь большой, должен быть отцом родным, чтоб шли к тебе с любой малостью, а ты не ленись, помоги. Делу на пользу, добро вернется сторицей. — Это навело меня на кое-какие мысли. — Гена, ты кого надумал в казино оставить?

После смерти Моисеева казино заправлял Славик, наш бухгалтер, и очень этим тяготился. Дел у него и так невпроворот, надо было мужика освобождать от лишней нагрузки. Лом все никак не мог остановиться на определенной кандидатуре.

— Воробья, наверное, — пожал Лом плечами.

— Пьет, — заметила я.

— А кто сейчас не пьет, Ладушка?

— Женат третий раз за два года, жену зовет «телка», двое детей проживают на соседней улице, а папуля мимо на «Мерседесе» катит и паршивой шоколадкой не угостит. Нет, Воробей не годится, — покачала я головой. Лом удивленно смотрел, не потому даже, что я решительно отмела кандидатуру Воробья, а оттого, что хорошо знала о личной жизни его соратников.

— Кого ж тогда? — спросил он.

— А вот Зверька и поставь. Пьет мало, жену уважает, мальчишку своего любит. Человек, если ему семья дорога, по-глупому на рожон не полезет, лучше сотня и покой, чем тысяча и риск большой. Так что ставь человека семейного, ему веры больше.

Не знаю, каким образом, но мои слова достигли ушей Воробья. Еще накануне он считал себя утвержденным в новой должности, обмывал событие с дружками, и вдруг такая неудача. Воробей, собравшись с силами, поехал к Лому в контору. Но тот в таких случаях всегда проявлял завидную твердость, и Воробей отбыл несолоно хлебавши. Новость долго обсуждали, после чего среди мужиков обнаружилась похвальная страсть к семейным устоям. Из конторы вдруг разом исчезли девицы, долгое время считавшие ресторан родным домом. Теперь, появляясь по вечерам с кем-нибудь из посетителей, они могли наблюдать, как бывшие дружки всячески подчеркивают свое желание видеть их как можно дальше от себя, и о бесплатной выпивке барышням мечтать не приходилось. Очень скоро красные дни календаря стали отмечать в компании дражайших половин, так как Лом задавал тон в этом начинании. Скоро перестали и краснеть, произнося фразу «Я с женой». А я продолжала наблюдать и экспериментировать.

В октябре мы въехали в новый дом. Он мне нравился, и вообще жизнь радовала.

— Ладуль, надо новоселье справлять, — заметил Ломик.

— Надо, — согласилась я. — Если хочешь собрать своих дружков, пожалуйста. Собирайтесь и пьянствуйте на здоровье. Потом, с божьей и Танькиной помощью, я как-нибудь смогу привести дом в порядок. Но на время празднования удалюсь. Ваши пьяные физиономии для меня труднопереносимы.

— Куда? Удалишься то есть? — забеспокоился Лом. Мои отлучки он не любил и неизменно был настроен категорически против всяких поездок в одиночку.

— Не знаю. Куда-нибудь съезжу на недельку.

— Еще чего... И что это за новоселье без хозяйки в доме?

— Тогда все будет так, как хочу я.

К семи часам к нашему дому стали подъезжать машины. Из них прилично одетые мужчины помогали выйти дамам в вечерних туалетах и бриллиантах. Бриллиантов было чересчур много, но о вкусах, как говорится, не спорят. Гости чинно расхаживали по дому, говорили вполголоса, пили мало, а в целом вели себя очень прилично. По виду определить, кто бандит, а кто человек, так сказать, порядочный, было затруднительно. Никаких тебе дурацких кличек и прочих глупостей. Если их тут собирать почаще, они, пожалуй, привыкнут. В общем, я за своих порадовалась. Танька тоже.

— Глянь, что делается, — резвилась она. — Светский раут, да и только. И никаких тебе пьянок по случаю... Воробей с женой пожаловал, дражайшая с перепугу по углам прячется от благоверного. Мне, что ль, замуж выйти? Чувствую себя одинокой...

Тихая и размеренная жизнь, каковой по замыслу она и должна быть, вдруг была нарушена одним событием. Позвонил Астахов, в тот же день мы встретились.

— В городе появился киллер, — заявил он. — Живет в «Дружбе», думаю, явился по вашу душу.

— Почему? — забеспокоилась я.

— Денег стоит немалых, зря тратиться не станут... Следовательно, цель у него крупная...

— О господи. — Я лихорадочно соображала, кто мог раскошелиться и вообще решиться на такое.

— Мы за ним присматриваем, — заверил Астахов, — только мои ребята вряд ли будут грудью защищать Лома. В ближайшие дни ничего у вас не намечается?

— Через два дня презентация, открываем Центр творчества.

— Очень подходяще, — кивнул он.

Я заспешила домой. В Центре творчества мы имели свой интерес, и презентация касалась нас напрямую. Конечно, Лому теперь ехать туда нельзя, но, узнав причину, он прятаться не станет, характер не тот. Следовало для начала накрепко посадить его дома. Потому я и отправилась в офис, гордо прошествовав к кабинету мужа. Блондинка с синими, как у куклы Барби, глазами маялась перед компьютером. О том, что с некоторых пор она сидит на этом месте, мне с большой осторожностью поведал муж, сразу же перечислив все ее недостатки: кривые ноги, лошадиное лицо и плоскую грудь. При этом заглядывал мне в глаза и очень боялся сказать, сколько ей лет. Зато приглашал посетить его на работе, чтоб самой убедиться, что эта мымра ни на что не годна. Кого-то ведь брать надо, так пусть она и сидит.

— Геннадий Викторович у себя? — спросила я.

— Да. — Девушка слегка растерялась, точно в комнате появилась не я, а торпедный катер, выкатила глазки еще больше и, попробовав стать грозной, поинтересовалась: — Вы по какому вопросу?

— По личному, — ответила я и вошла к мужу. Высунув от усердия язык и почесывая карандашом за ухом, он разгадывал кроссворд.

— Один из основных персонажей мультфильма «Аладдин». Ладуль, как попугая звали? — обрадовался мне Лом.

Я тоже решила его обрадовать.

— Это она? — кивнула на дверь.

— Кто?

— Ты вроде бы глухим не был?

— А... она, и чего?

— Ничего, — грозно ответила я. — Дома поговорим, — и выплыла из кабинета. Муженек потрусил следом, плавно обходя меня на поворотах, доверчиво заглядывая в глаза и повторяя:

— Ладуль, ну чего опять, а?

Я села в машину, он плюхнулся рядом, и мы отправились домой выяснять отношения.

Я топала ногами, визжала, обзывала его бабником и в конце концов пару раз съездила по физиономии комнатной тапкой, предварительно сняв ее с ноги. Лом рассвирепел, схватил меня за руки и легонько подтолкнул к столу, вынудив принять несколько неприличную позу. Это его необыкновенно развеселило и направило мысли в совершенно другое русло. Гневаться в таком положении было затруднительно, но я попыталась и пару раз смогла лягнуть воздух за своей спиной. Громогласный мужнин хохот плавно перешел в мяуканье, а мне ничего не осталось, как с отчаянием заявить:

— Боже, как я тебя ненавижу.

Драка закончилась тем, чем обычно заканчивались все наши ссоры.

Лом, взглянув на часы, заявил, что совершенно нет никакого смысла возвращаться в офис для продолжения трудового подвига. Я вспомнила, как звали попугая, а муженек порадовался, потому что слово как раз подходило по буквам. Мы выпили по чашке кофе, я перебралась на колени к любимому и твердо заявила, что пучеглазая мне не по душе. Лом принял покаянный вид и заверил, что она с завтрашнего дня больше не работает, а я могу сама подыскать ей на смену какую угодно каракатицу, он все примет с благодарностью, лишь бы она за древностью лет могла передвигаться самостоятельно. Так как у меня была на примете кандидатура: тетка одной из подруг, нуждающаяся в хорошем заработке, я сразу же обрадовала мужа.

— Теперь все? — развеселился он.

— Не знаю, — честно созналась я и добавила с сомнением: — Может, мне пойти у тебя поработать?

— Хорошая мысль, — ухмыльнулся Лом. — Поработай прямо сейчас. — Он поднялся, подхватил меня под мышки и поволок из кухни. Я немного повизжала и подрыгала ногами. В общем, муж был доволен, благодушен и даже счастлив, оттого, взглянув через некоторое время на свое отражение в зеркале, только присвистнул и сказал: — Убил бы тебя, ей-богу... И куда я теперь с таким фингалом?

— Никуда, — нахмурила я брови. — Посидишь дома, пока в голове не прояснится. Скажи спасибо, что легко отделался, в следующий раз глаза выцарапаю, будет тебя Рокки на поводке водить.

— За что хоть выцарапаешь? — вздохнул Лом. — Ведь тыщу раз говорил тебе, глупой бабе, никто мне не нужен. Я тебя люблю, а остальные хоть завтра умри все скопом... Черт-те что, жена поколотила. — Лом покрутил буйной головушкой и хохотнул.

Я устыдилась и решила его утешить.

— А я рада, что у тебя синяк под глазом. Посидишь со мной дома. Дверь запрем и никого не пустим.

В общем, своего я добилась, и на презентацию мы отправились с Танькой. За пятнадцать минут до нашего отъезда Лом что-то заподозрил, стал выспрашивать — кто будет, и чего это я так вырядилась, глаза у меня горят и я что-то очень спешу, и если он чего узнает, то... Дослушивать мы не стали и, прикрываясь, как щитом, заехавшим за нами Костей, бросились к машине. Муженек вышел на крыльцо и рявкнул:

— Костя, смотри в оба...

Мы уже выслушивали четвертое выступление, стоя на широкой лестнице нового здания Центра. Говорившие никуда не спешили и вроде бы соревновались друг с другом протяженностью речей. А между тем погода не баловала. Улыбки замерли на губах, точно приклеенные, а в целом вид у собравшихся был кислый.

— Водочки бы грамм сто, — шепнула Танька. Я только было собралась кивнуть, как увидела Лома, точнее, его машину. Он выехал из переулка и теперь пытался где-нибудь приткнуться. Мне сделалось нехорошо, волосы на затылке вроде бы встали дыбом, а в голове настойчиво забилась одна мысль: не дать ему выйти из машины. Оратор закончил, раздались недружные аплодисменты, а я шагнула вниз.

Впоследствии я вынуждена была признать, что глупая Ломова ревность спасла мне жизнь. Я бросилась навстречу мужу, и в этот миг директор одного из банков, который тоже имел свой интерес в Центре и стоял ступенькой выше меня, получил в грудь пулю. Сначала заорала Танька, потом все остальные, началось что-то вовсе невообразимое, но мне было не до этого. Расталкивая граждан и одуревшую охрану, я рвалась к мужу. Каким-то чудом он вдруг оказался рядом, подхватил меня на руки, а вокруг непробиваемой стеной выросла охрана. Все невыносимо деятельные и бдительные. Если я была близка к обмороку, то муженек выглядел еще хуже. Он намертво вцепился в меня, точно утопающий за спасательный круг, и совершенно белыми губами повторял, должно быть, в сотый раз:

— Господи...

— Уходим, уходим, — орала Танька и тянула Лома за руку. В конце концов мы смогли-таки загрузиться в микроавтобус с охраной и покинуть так и не открывшийся Центр. Все остальные граждане пытались сделать то же самое. Краем глаза я заметила Астахова, он что-то кричал и даже размахивал руками.

Землистая бледность еще не сползла с физиономии мужа, но к слову «Господи» он смог прибавить еще несколько и с легким подвыванием пробормотал:

— Он мог попасть в тебя...

— Кой черт ты приехал? — прорычала я. Нервное напряжение чуть спало, но соображала я еще плохо. — Испугал до смерти...

Тут влезла Танька:

— Если б он не подъехал, лежать бы тебе сейчас на ступеньках.

Лом замер, вытаращив глаза, пошлепал белыми губами и жалобно сказал:

— Так ведь стреляли в этого... забыл его фамилию...

— Кому он нужен? — изумилась Танька. — Стреляли в Ладку, и если бы ты не подъехал, и она к тебе неожиданно не кинулась... в общем, мне надо что-то выпить...

— Зачем в Ладку стрелять? — пугаясь все больше и больше, спросил Лом.

— Затем... Ох, Генка, есть у тебя враг, до твоего горла дотянуться не может, так решил напакостить и подойти с другого бока...

За пять минут с Ломом произошли разительные перемены. Могучая грудь заходила ходуном, челюсти сжались, а глаза полыхнули таким гневом, что мы разом поежились. Чувствовалось, что муженек готов перестрелять весь город, лишь бы зацепить одного, пока неведомого врага. Пока Лом сжимал челюсти, мы озабоченно размышляли, осторожно переглядываясь. Человек, устроивший столь неудачное покушение, стоял к нам чрезвычайно близко и дураком не был. Об истинном положении дел он был прекрасно осведомлен и иллюзий в отношении Лома не питал, точно зная, кто в действительности стоит за его спиной. Сам по себе муженек был ему не опасен, и это тоже наводило на множество мыслей. Вышло, что синяком я Лома наградила зря.

Само собой, при нем мы это не высказывали, но каждому из нас было ясно, какие мысли бродят в голове соседа.

— Я эту падлу из-под земли достану, — заявил Лом, а мы дружно кивнули: доставать надо было срочно.

До нашего дома добирались около получаса. За это время мысли пришли в порядок, стали появляться и кое-какие догадки. Поэтому я ничуть не удивилась тому, что произошло дальше.

А произошло вот что. Мы сели в гостиной, все еще исходя легкой дрожью. Лом принес выпивку и сам выпил стакан водки. Пил так, как пьют воду, и от этого зрелища у нас свело челюсти. Муж подошел с видом чокнутого человека и вцепился в мое плечо. В нем ощущалась настойчивая потребность держать какую-либо часть моего тела в своих руках. Должно быть, так ему было спокойнее. Мой страх окончательно прошел, остались злость и досада, обращенные против конкретного человека, не за то даже, что несколько минут назад по его желанию меня едва не убили, а за то, что я была такой дурой и ему поверила. На ошибках учатся, и это был хороший урок.

— Давайте подумаем, кто это может быть? — внес предложение Лом. Жажда деятельности буквально переполняла его.

— Саид, — тихо сказал Костя и посмотрел в глаза Лому спокойно и твердо.

— Саид, — эхом отозвалась Танька, а я кивнула:

— Саид...

Мы замерли, ожидая реакции Лома и прикидывая, как половчее объяснить ему, почему мы так решили, и при этом не нанести удар его гордости. Против ожидания Лом не стал кидаться грудью на защиту дружка. Вызвал охрану и направился к дверям.

— Ты куда? — вскочила я. Он усмехнулся, а мы поразились тому, как, в сущности, легко до сей поры могли управлять этой коброй.

Короче, мы поежились, а Лом сказал с этой своей жуткой ухмылкой:

— Побеседую с дружком.

— Гена, — заторопилась я, — он от всего откажется, нужны доказательства...

— Он мне все выложит, — заверил муженек и ушел, а мы стали ждать, беспокойно прикидывая, что выйдет из этой встречи.

Лом вернулся поздно. Мы с Танькой дремали в креслах, даже Костя, не выдержав напряжения дня, прилег и закрыл глаза. Лом молча прошел в ванную и долго мыл руки. Я стояла рядом и смотрела на него, не скрою, со страхом. Тут он поднял голову и улыбнулся мне. Я подала полотенце, он вытер руки и обнял меня.

— Что? — робко спросила я, на всякий случай покрепче прижимаясь к мужу.

— Саид, — ответил он как-то равнодушно.

— Он сознался?

— Еще бы... Болтал как заведенный. Вот уж не думал, что дружок таким хлипким окажется...

— Он объяснил, почему? — облизнув губы, спросила я.

— А как же... Меня спасал. Бабы у нас в командирах, а я вроде на побегушках.

— Дурак он, — вздохнула я.

— Точно. Я б ему многое что мог простить, но только не тебя.

Прошло несколько месяцев. Мы с Танькой потихоньку отошли от дел, мудро рассудив, что теперь мужики вполне справятся без нас. Конечно, приглядывать за ними стоило, но делать это ненавязчиво. Ничего заслуживающего внимания за это время не произошло, за исключением того, что я готовилась стать матерью. Муженек совершенно спятил, носился по дому, перетаскивая мебель, изводил меня болтовней и вообще здорово действовал на нервы.

В настоящий момент он отсутствовал, и я наслаждалась краткой передышкой и оттого не обрадовалась Таньке. Она явилась, как всегда, некстати и бодро поинтересовалась:

— Где любимый?

— Ушел за персиком, — сказала я.

— Что? — не поняла Танька.

Вздохнув, я пояснила:

— У О'Генри есть рассказ. Один придурок отправился за персиком, потому что его жене очень захотелось этот самый персик съесть. Он немножко постреляли и даже несколько человек отправил в тюрьму, но персиком разжился. Правда, к этому времени жена захотела апельсин.

— А ты чего хочешь?

— Тишины.

— Ладно, чего вредничаешь? Старается мужик, угождает.

С этим я согласилась.

— Он вычитал, что женщины в период

беременности эмоционально неустойчивы, проявляет понимание.

— Лом книжки читает? — испугалась Танька.

— Да, — кивнула я. — Энциклопедию семейной жизни. Правда, ее он уже освоил. Теперь у него другая настольная книга — «Вы и ваш ребенок. Советы молодым мамам».

— Ну и что? — обиделась Танька. — Есть же в них что-нибудь путное? Ты-то ведь точно советы читать не будешь... значит, надо Лому быть в курсе, и вообще...

— Вот именно, — вздохнула я.

— Чего чаем не поишь?

— Лень вставать.

— Ладно, я встану. Ломик давно убежал?

— С полчаса.

— Время позднее... — заметила Танька, — а ты один персик захотела?

— Да.

— Не выйдет. У Лома душа широкая, приволокет килограмм.

— Три, — вздохнула я.

— Что? — не поняла Танька.

— Три приволокет, душа у него и вправду широкая.

— Хочешь, поспорим? — предложила подружка.

— Давай, — пожала я плечами.

На счет широты души моего мужа мы обе дали маху. Лом возник в кухне в сопровождении двух парней, нагруженных ящиками. Они вышли, потом опять вошли, ящики прибывали. К персикам добавились яблоки, груши, три ананаса, вид которых почему-то всегда меня раздражает, вызывая ассоциации с головой любимого, потом появился виноград, манго, киви... Потом мне стало неинтересно. Танька сочувственно сказала:

— Что ж теперь... попробуем съесть.

А я спросила ласково:

— Геночка, а тебе обязательно превращать наш дом в овощной магазин?

— Ну чего ты, Ладуль? — запечалился Ломик. В последнее время он очень страдал от перепадов моего настроения, ходил по дому в носках и пытался говорить шепотом, по большей части сам с собой: — Тебе витамины нужны. Ты у меня какая-то бледненькая, и глазки такие грустные... ну скажи мне, чего ты хочешь, а?

Танька, подперев рукой щеку, смотрела на него с жалостью и сочувствовала мне.

— Ломик, отвязался бы ты от нее. Она... готовится к великому событию... ей хочется сосредоточиться, помолчать...

— А ты чего притащилась? — рассвирепел Лом. — Звали тебя? Как ты мне надоела, давно бы выгнал в шею, да Ладулю расстраивать неохота.

— Ломик, съешь персик, — посоветовала Танька.

— Тебя забыли спросить.

Однако, пошарив в ящиках и отобрав понравившиеся плоды, Ломик тщательно их вымыл, положил в вазу и пододвинул ко мне, правда, голос подать не решился. Поскучал, съел три персика и стал приставать к Таньке:

— И чего ты все таскаешься? Делать тебе нечего?

— Нечего, — согласилась та, — скука смертная. Городишко дохлый какой-то. Тишина, как ночью на кладбище. Сегодня сунулась в газету, вижу крупными буквами «Убийство» — и что? Жена мужа по пьянке зарезала.

— Дура ты, — разозлился Лом. — Все болтаешь и болтаешь. Скучно ей... Скучно — дома сиди. А то притащится, наплетет семь верст до небес, Ладуля потом лобик морщит, а мне одно беспокойство. Все ж таки выгоню я тебя...

— Да ладно, — вздохнула Танька, — еще чего-нибудь съешь...

Тут она посмотрела на меня и начала туманно:

— Я вот на досуге подумала и решила: пора о душе заботу проявить, чтоб жизнь не впустую прошла, сделать что-нибудь путное.

Заметив любопытство в моих глазах, Ломик оживился:

— Церковь, что ли, построить? Давайте... Я против Бога ничего не имею. Ладуля велит в церковь ходить, и хожу, каждое воскресенье. Деньги есть, мастеров найдем, мигом сляпают, то есть возведут. Купола чистым золотом покроем, чтоб Господь, значит, нас не проглядел. — Лом заткнулся и нерешительно посмотрел на меня, потом на Таньку. Я кивнула.

— Хорошая идея.

— Вот, — обрадовался муженек, а Танька кисло поморщилась.

— Что церковь... их без нас полно пооткрывали... Надо мыслить масштабно.

— Чего ты затеяла? — насторожилась я, а Лом рукой махнул и пошел к двери.

— Я вот что подумала: а не сделать ли нам Ломика президентом?

— Президентом чего? — притормозив и повернувшись к Таньке, хмуро спросил Лом.

— России, — с обычной скромностью ответила Танька.

Я закашлялась, а Лом жалобно посмотрел на меня и сказал:

— Ладуль, я не хочу... в президенты то есть. Мне и это-то все надоело, так бы вот бросил все и ушел куда-нибудь, ей-богу...

Лом не лукавил, подозреваю, он всерьез мечтал о трехлетнем отпуске по уходу за ребенком. Не обретя во мне поддержки, муженек затосковал и сказал со вздохом:

— Я, это... говорить не мастер, а там сплошной треп.

— Речи на бумажке умные люди пишут, а у тебя память хорошая, выучишь. И нечего рожу воротить... вот ты всегда так, заботятся о тебе люди, уважают и вообще... а ты нет бы спасибо сказать... какое там, начнет капризничать. Вот так и убила бы тебя, ей-богу...

— Ну чего ты сразу орешь? — устыдился Лом. — Я же совсем-то не отказываюсь... — И на меня посмотрел.

— Слава тебе господи. — Тут Танька ко мне повернулась. — Лом мужик видный, чем мы хуже американцев? Даешь молодого президента... Лом, вынь руки из карманов и встань как следует.

Муженек от стены отлепился, вынул руки и расправил широкие плечи. Я взглянула на него с интересом, а Танька продолжила:

— Дело это нелегкое и займет некоторое время. Лом к тому моменту интересной сединой покроется, и малышу-Клинтону с ним рядом не стоять.

Я оперлась локотком на стол и взирала на мужа со все возрастающим интересом.

— Опять же, у нас не первая леди, а конфетка. С такой женой хоть завтра на английский престол короноваться.

— Фиг этим англичанам, — заволновался Лом, испугавшись перемен в Танькиных планах. — Хотя, Ладушка, конечно, настоящая королева, тут говорить нечего...Только с какой стати нам об англичанах заботиться?

— Это я так, к слову, — успокоила его Танька, посмотрела на меня и спросила, раздвинув рот до ушей: — Ну?

Я хихикнула, кашлянула, потом опять хихикнула и ответила:

— Заметано.

— Вот и ладненько, — обрадовалась Танька. — У меня и план есть.

Литературно-художественное издание

Полякова Татьяна Викторовна
ЧЕГО ХОЧЕТ ЖЕНЩИНА

Редактор *Г. Калашников*
Художественный редактор *А. Стариков*
Технический редактор *Н. Носова*
Компьютерная верстка *Е. Попова*
Корректор *М. Мазалова*

На первой сторонке обложки использована работа
художника *В. Федорова*

Налоговая льгота — общероссийский классификатор
продукции ОК-005-93, том 2; 953000 — книги, брошюры

Подписано в печать с готовых монтажей 09.11.2001.
Формат 70×90 $^1/_{32}$. Гарнитура «Таймс».
Печать офсетная. Усл. печ. л. 11,7. Уч.-изд. л. 10,44.
Доп. тираж VI 15 100 экз. Заказ 1185

Отпечатано в полном соответствии
с качеством предоставленных диапозитивов
в ОАО «Можайский полиграфический комбинат».
143200, г. Можайск, ул. Мира, 93.

ЗАО «Издательство «ЭКСМО-Пресс»
Изд. лиц. № 065377 от 22.08.97.

125190, Москва, Ленинградский проспект,
д. 80, корп. 16, подъезд 3.
Интернет/Home page — www.eksmo.ru
Электронная почта (E-mail) — info@ eksmo.ru

Книга — почтой:
Книжный клуб «ЭКСМО»
101000, Москва, а/я 333. E-mail: bookclub@ eksmo.ru

Оптовая торговля:
109472, Москва, ул. Академика Скрябина, д. 21, этаж 2
Тел./факс: (095) 378-84-74, 378-82-61, 745-89-16
E-mail: reception@eksmo-sale.ru

Мелкооптовая торговля:
Магазин «Академкнига»
117192, Москва, Мичуринский пр-т, д. 12/1
Тел./факс: (095) 932-74-71

ООО «Дакс». Книжная ярмарка «Старый рынок».
г. Люберцы Московской обл., ул. Волковская, д. 67.
Тел.: 554-51-51; 554-30-02.